डायनासोर

डायनासोर

विनोद कुमार मिश्र

सत्साहित्य प्रकाशन, दिल्ली

प्रकाशक : सत्साहित्य प्रकाशन, 205-बी चावड़ी बाजार, दिल्ली-110006
सर्वाधिकार : सुरक्षित / संस्करण : प्रथम, 2012 / मूल्य : एक सौ पचास रुपए
मुद्रक : भानु प्रिंटर्स, दिल्ली   ISBN 978-81-7721-144-3

DINOSAUR by Vinod Kumar Mishra   Rs. 150.00
Published by Satsahitya Prakashan, 205-B Chawri Bazar, Delhi-110006

पूज्य माताजी स्व. शांति देवी मिश्र
की
चिरस्मृति को
सादर समर्पित

आत्मकथन

भारतीय पौराणिक ग्रंथों में पुनर्जन्म व प्रलय का उल्लेख जगह-जगह पर मिलता है। इस प्रकार की मान्यताएँ विश्व के अन्य धर्मों में नहीं हैं; पिछली चंद सदियों में जब आधुनिक विज्ञान का प्रादुर्भाव हुआ तब पश्चिमी विद्वानों और उनका अंधानुकरण करनेवाले कतिपय भारतीय विद्वान् भी हमारे पौराणिक ग्रंथों का उपहास करते रहे।

यह भी सत्य है कि पुनर्जन्म को अभी तक प्रमाणित नहीं किया जा सका है। पर अनेक अनुभव, जो पुनर्जन्म पर आधारित हैं, उन्हें झुठलाया भी नहीं जा सका है। अनेक लोगों को पुरानी स्मृति होती है। अनेक मामलों में उसे कोरी कल्पना बताकर उड़ा दिया जाता है, पर कुछ मामलों में वह सत्य भी साबित हुई हैं।

निश्चय ही हमारा मन दूर-दूर तक कल्पना की उड़ानें भरता है। मन के लिए काल की कोई सीमा नहीं होती, पर अनेक ऐसे मामले देखे गए हैं, जब कल्पना का कोई निश्चित आधार होता है। वह आधार पुनर्जन्म का अनुभव भी हो सकता है। ऐसी कल्पनाएँ देर-सबेर सत्य और साकार सिद्ध हो सकती हैं।

उपरोक्त का आधार केवल डायनासोर ही नहीं है। पौराणिक ग्रंथों में वर्णित पुष्पक विमान, चिर यौवन, दूर-संचार, टेली कॉन्फ्रेंसिंग, सुदूर ग्रहों-लोकों की यात्राएँ, लगातार हवाई यात्रा करनेवाले नारद मुनि की लंबी आयु आदि ऐसे विषय हैं, जो कभी कोरी कल्पना थे और अब चिर सत्य सिद्ध हो चुके हैं।

इसी प्रकार प्रलय का उल्लेख मिलता है। पौराणिक ग्रंथों में सृष्टि अर्थात् पृथ्वी को अनादि माना गया है। आधुनिक विज्ञान के अनुसार, यह 360 करोड़ वर्ष से अधिक पुरानी है और इसे लगभग अनादि कहा जा सकता है।

आधुनिक विज्ञान ने इसके युगों का जो विभाजन किया है, वह पौराणिक युगों जैसा हूबहू तो नहीं है, पर काफी मिलता-जुलता है। समय-समय पर होने वाला विनाश, विनाशों के बीच का अंतराल, विनाश का पैमाना, लगभग 95% से अधिक का महाविनाश आदि ऐसे तथ्य हैं, जो कि प्रलय के वर्णन से काफी मिलते-जुलते हैं। यही नहीं, इस समय वैश्विक तपन की चरम स्थिति का जो अनुमान लगाया जा रहा है, वह भी हमारे पौराणिक ग्रंथों में वर्णित प्रलय काल के वर्णन से काफी कुछ मिलता-जुलता है। प्रलय काल में मछली के बचने और पुनः सृष्टि में उसके योगदान का उल्लेख है। साथ ही यह भी सिद्ध हो चुका है कि मछली महाविनाश के दौरान बच निकलती है। ईश्वर के अवतारों में पहला अवतार मत्स्यावतार रहा है।

संसार के विलुप्त प्राणी डायनासोर के बारे में अब तक की गई खोज दरशाती है कि अब तक पृथ्वी पर अलग-अलग प्रकार के प्राणियों का आधिपत्य रहा है। इससे पहले भी प्राणियों की भारी भीड़ उत्पन्न हो चुकी है और संसाधनों का अकाल पड़ चुका है।

प्रकृति के कोप की विभिन्न मुद्राएँ भी सामने आई हैं—उल्काओं का गिरना, समुद्री तल का कभी ऊपर आ जाना तो कभी नीचे चला जाना, भयानक बाढ़, सुनामी आदि।

डायनासोर अकेले प्राणी नहीं हैं, जो विलुप्त हुए। ऐसे और भी प्राणी होंगे। आगे होनेवाले अनुसंधानों में उनके बारे में भी अद्भुत जानकारियों का पिटारा खुलेगा।

बड़े भाग मानुष तन पावा

पौराणिक ग्रंथों में चौरासी लाख योनियों का उल्लेख है। इसमें यह बताया गया है कि उसके बाद बड़ी मुश्किल से मनुष्य की योनि मिलती है और

इसके एक-एक पल का सदुपयोग होना चाहिए।

सचमुच मनुष्य की योनि अद्भुत है। आधुनिक विज्ञान के अनुसार, मनुष्य अर्थात् होमो सेपियन की उत्पत्ति दस हजार वर्ष पूर्व हुई है और इस छोटी सी अवधि में बहुत कुछ हो चुका है यदि समग्र इतिहास को संकलित कर लिया जाए तो ऐसा लगता है कि पता नहीं कब से यह सब चल रहा है।

धार्मिक व पौराणिक ग्रंथ भी मानव या कहिए महामानव ने रचे हैं। उनमें से एक हिस्सा उसकी कल्पना का कहा जा सकता है, पर यह कोरी कल्पना नहीं है। यह एक दिव्य दृष्टि है, जो कि उनके पूर्व जन्मों के अनुभवों पर आधारित हो सकती है। यह वह ज्ञान भी हो सकता है, जो महाप्रलय से पूर्व उत्पन्न हो गया था।

इस मान्यता के अनेक आधार हैं—संस्कृत जैसी भाषा, जो कि उच्चकोटि की वैज्ञानिक भाषा है। आयुर्वेद से संबंधित ज्ञान, जो आज अति उपयोगी सिद्ध हो चुका है और न केवल विभिन्न धर्मों के लोग इसे अपना रहे हैं वरन् दुनिया के विभिन्न कोनों में इस पर अनुसंधान हो रहा है। योग क्रिया की सलाह आज देश के ही नहीं बल्कि विदेशी चिकित्सक भी दे रहे हैं। तुलसी, पीपल, गाय आदि देर-सबेर सभी धर्मावलंबियों द्वारा पूजे जाएँगे।

डायनासोर पर अनुसंधान अभी चल रहा है। आगे इसमें और रोचक मोड़ आएँगे। अब तक के अनुसंधानों पर आधारित हिंदी में यह सचित्र पुस्तक पाठकों की इससे संबंधित जानकारी में वृद्धि करेगी, ऐसा विश्वास है।

इस पुस्तक के लिए प्रामाणिक सामग्री जुटाने में सी.एस.आई.आर. लाइब्रेरी की श्रीमती रेणु पांडेय ने अहम भूमिका निभाई है। हर बार की तरह पत्नी वीना मिश्र व पुत्र वरुण व विशल ने घरेलू दायित्वों से मुक्त रखकर इस कार्य में योगदान किया है। मैं इन सभी के प्रति आभार व्यक्त करता हूँ।

अभी भी डायनासोर के नए-नए जीवाश्म तलाशे जा रहे हैं। उनपर नई-नई मान्यताएँ सामने आ रही हैं। अत: यह कहा जा सकता है कि हिंदी में संभवत: यह इस विषय पर पहली पुस्तक तो है, पर अंतिम नहीं है। आगे और अधिक जानकारियों के साथ उपयोगी लेखन करना है।

अत: यह अनिवार्य है कि पाठक इस विषय पर अपनी प्रतिक्रिया अधिकाधिक रूप से दें। बच्चों में डायनासोर के प्रति अधिक जिज्ञासा होती है। आशा है, यह पुस्तक अपने इस उद्देश्य को अवश्य पूरा करेगी।

—विनोद कुमार मिश्र
9811338939
vinodmishra_60@yahoo.co.in

अनुक्रमणिका

जीवाश्म

एक समय ऐसी स्थिति आती है कि सृष्टि समय के साथ जमीन के नीचे दफन हो जाती है और फिर उसके ऊपर प्रकृति सृजन करती है। कालांतर में जमीन के नीचे गड़ी पुरानी सृष्टि जीवाश्म के रूप में प्राप्त होती है।

आमतौर पर पुराने प्राणियों व वृक्षों के अवशेष जीवाश्म के रूप में प्राप्त होते हैं। ये अवशेष उस समय की गाथा कहने में सक्षम होते हैं, और इस कारण से ये अति महत्त्वपूर्ण माने जाते हैं। चार्ल्स डार्विन का जीवोत्पत्ति सिद्धांत तो इन्हीं के अध्ययन के आधार पर विकसित हुआ है। आज इसी आधार पर हम पृथ्वी के विकास व विलुप्त हुए प्राणियों के बारे में जानकारियाँ प्राप्त करते हैं।

प्रायः माना जाता है कि प्राणियों के अस्थि-पंजर आदि समय के साथ

पत्थर का रूप ले लेते हैं। कुछ सीमा तक यह सत्य भी है। वास्तव में कठोर अंग, जैसे हड्डियाँ आदि लंबे समय तक नष्ट नहीं होते हैं, जबकि नरम अंग, जैसे मांस, उपास्थियाँ आदि नष्ट हो जाते हैं। जिन अंगों में खनिज पदार्थ, जैसे कैल्शियम आदि अधिक होते हैं, वे लंबे समय तक ज्यों-के-त्यों बने रहते हैं। धीरे-धीरे ये कैल्शियम व क्वार्टज आदि में परिवर्तित हो जाते हैं।

कुछ मामलों में बैक्टीरिया व सूक्ष्म जीव अपना कारनामा दिखलाते हैं और उन्हें एक रूप दे देते हैं। अकसर जंगलों में आग लगती है और पेड़-पौधे आदि कोयले का रूप ले लेते हैं, पर इस प्रक्रिया में उनका आकार वही रहता है। इसी तरह कई बार बड़े पैमाने पर बर्फ जम जाती है। हमारी पृथ्वी एक से अधिक बार हिम युग में जा चुकी है और जब बर्फ जमती है तो न केवल कठोर अंग, वरन् नरम अंग भी लंबे समय तक सुरक्षित बने रहते हैं।

उपयोगिता : ये सभी जीवाश्म अपने समय की कहानी बयान करते हैं। ये परत-दर-परत निकाले जाते हैं और हर परत अपने समय की कहानी बखूबी बताती है। उसकी सहायता से विकास-क्रम, तत्कालीन पारिस्थितिकी, जैविक व्यवस्था, भूगोल आदि का पूरा ज्ञान हमें प्राप्त होता है।

इससे तत्कालीन वातावरण का भी ज्ञान होता है। वास्तव में वातावरण का सीधा प्रकृति और जीव पर प्रभाव पड़ता है। तापमान, लवणीयता, प्रकाश की तीव्रता, पोषक तत्त्व आदि जीव की प्रकृति व व्यवहार पर प्रभाव डालते हैं और समय के साथ जीवाश्म इसके बारे में बतलाता है।

समय के साथ इन जीवाश्मों में आइसोटोपों का निर्माण होता है। इन आइसोटोपों की उपस्थिति व प्रतिशत उस समय के वातावरण के बारे में बताता है। उदाहरण के लिए $^{16}O/^{18}O$ का अनुपात समुद्री जल का तापमान बताता है। इसी तरह $^{14}N/^{15}N$ का अनुपात तथा $^{12}C/^{13}C$ का अनुपात; उस समय के भोजन पर प्रकाश डालता है।

जीवाश्म बनने की प्रक्रिया भी अति महत्त्वपूर्ण होती है, इसलिए जीवाश्मों का अभिलेख रखा जाता है। इनका उचित क्रम हमें हमारे विकास की कहानी बताता है। अब तक 3.5 अरब वर्षों के पुराने जीवाश्मों के अभिलेखों को उचित क्रम में रखा गया है। लगभग ढाई लाख समुद्री जीवों के अवशेषों को उचित क्रम में सजाया गया है। यह माना गया है कि प्रथम जीव की उत्पत्ति लगभग 60

करोड़ वर्ष पूर्व हुई थी।

इतना पुराना व विस्तृत अभिलेख भी अपूर्ण माना जाता है, क्योंकि इस दिशा में अभी और अनुसंधान होने बाकी हैं। अभी तक जो अभिलेख तैयार किए गए हैं, उससे विभिन्न युगों (भूगर्भ शास्त्र के समय-पैमाने के अनुसार)के विकास की स्थिति का पूर्ण आभास नहीं होता।

फिर भी इससे काफी हद तक एक तसवीर तो उभरती है। यही नहीं, यदि अपेक्षाकृत नजदीकी काल के जीवाश्मों का अध्ययन किया जाए तो काफी बेहतर तसवीर उभरती है। जमीन पर रहनेवाले प्राणियों के जीवाश्मों की अच्छी-खासी संख्या एकत्रित कर ली गई है और उनके विकास-क्रम की भी काफी जानकारियाँ एकत्रित कर ली गई हैं। स्तनपायी जीवों का अभिलेख सबसे अच्छा है। इनके दाँत आदि लंबे समय तक सुरक्षित रहते हैं तथा उनसे काफी जानकारियाँ प्राप्त होती हैं।

❑

भूगर्भ शास्त्र—समय पैमाना

समय के सामान्य पैमाने आम आदमी के लिए आम परिस्थितियों में उपयोगी सिद्ध होते हैं। उदाहरण के लिए; व्यक्ति सेकेंड, मिनट, घंटा, दिन, सप्ताह, महीना, वर्ष, दशक व शताब्दी का उपयोग करता है; पर यदि हम पृथ्वी की उत्पत्ति, विकास आदि का अध्ययन करें तो सामान्य पैमाने अनुपयोगी सिद्ध होते हैं। इस अध्ययन के लिए एक अलग पैमाने का विकास किया गया है, जो कि दस लाख वर्षों का होता है। इसे अंतरराष्ट्रीय पैमाने पर स्वीकृति मिली हुई है।

विकास : उन्नीसवीं सदी के प्रारंभ में ब्रिटेन के एक सिविल अभियंता विलियम स्मिथ ने दक्षिणी इंग्लैंड तथा वेल्स से बहुत सारे जीवाश्म एकत्रित किए। जब उन जीवाश्मों को उचित क्रम में सजाया गया तो स्पष्ट हुआ कि वे अलग-अलग काल के हैं। इस प्रकार काल के क्रम का विकास प्रारंभ हुआ।

इस क्रम में दो प्रकार के समय-पैमाने विकसित हुए—एक सापेक्ष समय पैमाना और दूसरा निरपेक्ष अर्थात् विशुद्ध समय पैमाना। सापेक्ष समय पैमाने का आधार है—पृथ्वी की परतों की खुदाई से प्राप्त अवशेषों का अध्ययन, जिसमें माना जाता है कि जो जीवाश्म जितनी गहराई से निकलेगा, वह उतना ही पुराना माना जाएगा।

दूसरी ओर विशुद्ध पैमाने का निर्धारण किसी भौगोलिक पदार्थ की उत्पत्ति के आधार पर किया जाता है। इसके लिए रेडियोधर्मिता की प्रक्रिया का उपयोग किया जाता है; जिसकी खोज उन्नीसवीं सदी के अंत में हुई थी और बीसवीं सदी में इसके माध्यम से आइसोटोपों की पहचान व इनका आकलन प्रारंभ हुआ।

अनेक चट्टानों के बीच कुछ तत्त्व ऐसे मिल जाते हैं, जिनकी रासायनिक प्रवृत्ति तो वही बनी रहती है पर वे रेडियोधर्मी हो जाते हैं तथा उनका क्षय होता रहता है। इसके आधार पर उनकी आयु की गणना की जाती है। इससे उस चट्टान या उस परत की आयु की गणना की जा सकती है।

उपरोक्त दोनों ही प्रकार के समय पैमानों का उपयोग होता है। ये हमें वास्तविकता के काफी करीब ले जाते हैं। सापेक्ष पैमाने में हमें मानना पड़ता है कि नीचे दबी हुई परत अपनी ऊपरी परत से पुरानी ही होगी। इस आधार पर सबसे नीचे की परत से प्रारंभ करके सबसे ऊपर की परत तक का अध्ययन किया जाता है। सबसे नीचे की आग्नेय चट्टानों के बारे में माना जाता है कि ये पृथ्वी के अंदर पिघले लावे अर्थात् मैग्मा के जम जाने से बनी है। उसके ऊपर की चट्टानों का क्रमवार अध्ययन किया जाता है।

उपरोक्त में दबे हुए प्राकृतिक पदार्थों जैसे 'जीवाश्मों' आदि का भी अध्ययन किया जाता है। यह अध्ययन पहले इंग्लैंड में प्रारंभ हुआ, फिर पश्चिमी यूरोप में हुआ, फिर आज पूरे विश्व में हो रहा है।

इसी तरह निरपेक्ष समय पैमाने पर भी आकलन जारी है। सामान्य कार्बन ^{12}C अनेक कारणों से रेडियोधर्मी कार्बन ^{14}C में परिवर्तित हो जाता है, जिसका सटीक आकलन संभव है। आजकल अनेक ऐसे उपकरण उपलब्ध हैं, जो समय का बारीकी से आकलन करते हैं।

उपरोक्त दोनों पैमानों से की जानेवाली गणनाएँ एक-दूसरे की पुष्टि करती हैं, इससे प्राचीन घटनाओं का अनुमान लगाना आसान हो जाता है। आज अनेक जीवाश्मों की पहचान की जा चुकी है, जिसमें पुरानी उत्तरी साइबेरिया की चट्टान भी शामिल है।

उपरोक्त पैमानों के आधार पर विभिन्न प्राणियों की उत्पत्ति का काल तथा विलोप का काल ज्ञात हो चुका है। इनमें डायनासोर के विलोप का काल भी शामिल है। समय पैमाने को भी बाँटा गया है और विभाजन रेखा, जो पहले काफी अस्पष्ट थी, अब स्पष्ट होती जा रही है।

आइए देखें, भौगोलिक समय पैमाने का विभाजन किस प्रकार किया गया है—

भूगर्भ शास्त्र—समय पैमाना

युग	समय		जीवन का विकास
सिनोजोइक आधुनिक जीवन	चतुर्थक		
	तृतीयक		
मीसोजोइक मध्य युग	क्रेटासियस		
	जुरासिक		
	ट्राइएसिक		
पेलेजोइक प्राचीन जीवन		पर्मियन	
	कार्बोनिफेरस	पेंसिल्वानियन	
		मिसिपियन	
	डेवोनियन		
	सिल्यूरियन		
	ऑर्डोविशियन		
	कैंब्रियन		
	प्रीकैंब्रियन		

विभिन्न युग व उनमें जीवन

पृथ्वी की अनुमानित आयु 360 करोड़ वर्ष से भी अधिक है।

सबसे पुराना आर्चियन महायुग माना जाता है। इसे तीन युगों में विभाजित किया गया है। ये हैं—

बाद का काल	280 करोड़ वर्ष
मध्य का काल	320 करोड़ वर्ष
पूर्व का काल	360 करोड़ वर्ष से अधिक

इसके बाद का काल 'प्रोटेरोजोइक महायुग' कहलाता है, जो आज से 250 करोड़ वर्ष पूर्व प्रारंभ हुआ। यह काल सबसे पहले अर्थात् 'आर्चियन महायुग' से 30 करोड़ वर्ष बाद प्रारंभ हुआ।

उसके विभिन्न महायुग और उनके आगे का विभाजन अर्थात् उपयुग इस प्रकार हैं—

प्रोटेरोजोइक युग

बाद का काल	100 करोड़ वर्ष
मध्य का काल	160 करोड़ वर्ष
प्रारंभिक काल	250 करोड़ वर्ष

उपरोक्त उपविभाजनों के बीच का अंतराल पहले की अपेक्षा काफी अधिक था। एक अन्य तथ्य यह है कि इस अवधि में पृथ्वी पर जीवन की लेशमात्र भी संभावना नहीं थी।

इसके बाद के युग में पृथ्वी पर जीवन प्रारंभ हो गया। इसके साथ 'फानेरोजोइक महायुग' प्रारंभ हुआ। इसका पहला युग 'पैलेजोइक युग' कहलाता है, जिसकी अवधि और उपविभाजन इस प्रकार है—

पैलेजोइक युग—54.2 करोड़ वर्ष पूर्व प्रारंभ

उप युग

पर्मियन	—	29.9 करोड़ वर्ष
कार्बोनीफेरस	—	35.92 करोड़ वर्ष
डेवोनियन	—	41.6 करोड़ वर्ष
सिल्यूरियन	—	44.37 करोड़ वर्ष
ऑर्डोविशियन	—	48.83 करोड़ वर्ष
कैंब्रियन	—	54.2 करोड़ वर्ष

इस काल में पृथ्वी पर प्रारंभ के छोटे-छोटे एक कोशिकीय और फिर अकशेरुकी प्राणी आए। जीवन पहले सागर में प्रारंभ हुआ। मछलियों की उत्पत्ति हुई, उसके

पश्चात् स्थल इलाकों में पौधों की उत्पत्ति हुई, फिर उभयचर प्राणी (एंफीबियन) जैसे मेढक आदि की उत्पत्ति हुई। इसके पश्चात् सरीसृप वर्ग के प्राणी उत्पन्न हुए, जिनमें दिलचस्प तथा दानवाकार डायनासोर भी थे। इन रेंगनेवाले प्राणियों ने पृथ्वी पर पूरा कब्जा कर लिया था। इस युग के अंतिम दौर में स्तनपायी जीव भी पृथ्वी पर आ चुके थे, पर पक्षियों की उत्पत्ति निश्चित रूप से इस युग के पश्चात् ही हुई थी।

इसके बाद का युग 'मीसोजोइक युग' कहलाता है। इसका आरंभ आज से 25.1 करोड़ वर्ष पूर्व हुआ था। इसके तीन उपवर्ग इस प्रकार हैं—

क्रेटासियम	—	14.55 करोड़ वर्ष
जुरासिक	—	19.96 करोड़ वर्ष
ट्राइएसिक	—	25.1 करोड़ वर्ष

इस युग के प्रारंभ में ही पृथ्वी पर जैव विविधता की भरमार थी। स्तनपायी जीव विकसित हो रहे थे। डायनासोर का पृथ्वी पर आधिपत्य था। बाद में पक्षियों की उत्पत्ति हुई।

इसके बाद का युग 'सीनोजोइक युग' कहलाता है। इसका आरंभ आज से 6.55 करोड़ वर्ष पूर्व हुआ था। इसके विभिन्न उपवर्ग इस प्रकार हैं—

आधुनिक युग	—	दस हजार वर्ष
प्लेस्टोसीन	—	18 लाख वर्ष
प्लायोसीन	—	53 लाख वर्ष
मायोसीन	—	2.3 करोड़ वर्ष
ओलिगोसीन	—	3.39 करोड़ वर्ष
इयोसीन	—	5.58 करोड़ वर्ष
पैलियोसीन	—	6.55 करोड़ वर्ष

उपरोक्त काल-विभाजन मोटे तौर पर है तथा विभिन्न महायुगों और उपवर्गों की अवधि असमान है। विभाजन-रेखा भी स्पष्ट नहीं है। कैंब्रियन अर्थात् 'पैलेजोइक युग' के अंतिम दौर से आज तक का युग 'फानेरोजोइक महायुग' कहलाता है।

एक सत्य यह है कि उपरोक्त युगों के नामकरण रोचक हैं। उदाहरण के

लिए 'कार्बोनीफेरस' नाम का आधार है कि इस युग में बड़ी संख्या में पेड़-पौधे, भूकंप व अन्य कारणों से उखड़कर जमीन के नीचे दब गए थे और बाद में ये कोयले के रूप में निकाले जाते रहे।

हांलाँकि उपरोक्त अध्ययन पहले यूरोप में प्रारंभ हुआ था, पर आज यह पूरे विश्व में माना जाता है।

☐

प्राणियों का बड़े पैमाने पर विलोप
'क्यों और कैसे'

लंबे अनुसंधानों के पश्चात् ज्ञात हुआ है कि पृथ्वी पर स्थित समृद्ध जैव विविधता में समय-समय पर छोटे-बड़े बदलाव आते रहते हैं। कई बार यह प्रक्रिया धीमी गति से चलती है और एक सीमा के पश्चात् थम जाती है। प्राणियों की संख्या में पुन: धीमी या तीव्र गति से वृद्धि होने लगती है तथा पूर्व स्थिति बहाल हो जाती है।

पर अनेक मामलों में ऐसा नहीं होता। कुछ मामलों में प्राणियों की संख्या में स्थायी रूप से कमी आती चली जाती है और एक स्थिति ऐसी भी आती है, जब इनका पूर्ण विलोप हो जाता है।

इनमें से कुछ के कारण मानवजन्य होते हैं और कुछ मानवीय हस्तक्षेप के बिना भी घटित हो जाते हैं। उदाहरण के लिए, आज जो प्राणी पालतू माने जाते हैं यथा गाय, बकरी, घोड़े आदि; उनके जंगली पूर्वज आज जंगलों में नहीं मिलते हैं। उनका विलोप हो चुका है। यह विलोप मानवजन्य नहीं है। जंगली मांसाहारी शक्तिशाली प्राणियों ने उन्हें इस कदर आहार बनाया कि इनका समूल विनाश हो गया। खुदाई करने पर इनके अस्थि-पंजर जीवाश्म के रूप में मिल जाते हैं।

यूरोप जैसे महादेश से शेरों का समूल विनाश हो गया। यह कृत्य मानव का ही है, कुछ आवश्यकताओं के कारण तो कुछ शौक के कारण। मनुष्य ने वनों में रहनेवाले प्राणियों के साथ छेड़छाड़ जारी रखी, इसलिए और यूरोप में शेर विलुप्त हो गए।

मानव के पृथ्वी पर अस्तित्व में आने से पूर्व ही प्राणियों के विलुप्त होने की प्रक्रिया प्रारंभ हो गई थी। इस संबंध में गहन अनुसंधान अठारहवीं सदी में प्रारंभ हुआ और उन्नीसवीं सदी में यह जोर पकड़ता गया। विशेष रूप से जब अमेरिका में जीवाश्मों को ढूँढ़कर तथा उनका अध्ययन करके विश्लेषण करने का कार्य प्रारंभ हुआ तो यह कार्य और जोर पकड़ता गया।

इस क्रम में अनेक घटनाओं के बारे में ज्ञात हुआ, जैसे कि अनेक प्राणी इतने नाजुक होते हैं कि वे आपदा के प्रभाव को सहन ही नहीं कर पाते और नष्ट हो जाते हैं। उपरोक्त विलुप्तीकरण को मोटे तौर पर तीन वर्गों में विभाजित किया जा सकता है, ये हैं—

1. **अचानक विलोप :** यह अपेक्षाकृत अत्यल्प समय में हुआ विलोप माना जाता है। यदि भूगर्भ शास्त्रीय समय पैमाने पर देखा जाए तो दो वर्ष से एक हजार वर्ष के बीच हुई घटना तात्कालिक या अचानक घटी घटना मानी जाती है।

2. **धीरे-धीरे हुआ विलोप :** इस प्रकार के विलुप्तीकरण में प्राणियों का विलोप अपेक्षाकृत बड़ी अवधि में होता है। इसमें प्राणी पहले दुर्लभ हो जाते हैं और फिर उनका विलोप हो जाता है।

3. **चरणबद्ध विलोप :** इस प्रकार के विलुप्तीकरण में विलोप होने की प्रक्रिया अनेक चरणों में संपन्न होती है। चरणों के बीच का अंतराल दस हजार वर्ष से लेकर एक लाख वर्ष का होता है।

बड़े पैमाने पर विलुप्तीकरण

अब तक के अध्ययनों, विश्लेषणों तथा उनके आधार पर बनाए गए मॉडलों के अनुसार, पृथ्वी की उत्पत्ति के पश्चात् उसके स्वरूप व वातावरण में समय-समय पर व्यापक परिवर्तन हुए और उनके कारण बड़े पैमाने पर विलुप्तीकरण हुआ। यह माना जाता है कि 'पर्मियन युग' (भूगर्भ पैमाने पर एक युग) की समाप्ति पर समुद्र में लगभग 50 प्रतिशत कुलों (जीव विज्ञान) तथा लगभग 80 प्रतिशत वंशों का विनाश हो गया था।

यह अनुमान है कि लगभग 90 से 96 प्रतिशत प्राणियों का विनाश हो गया था, क्योंकि छोटे व कमजोर जीव संख्या में अधिक होते हैं तथा वह अधिक मारे

जाते हैं या विलुप्त हो जाते हैं। स्थल इलाकों में भी कीड़ों, रेंगनेवाले जीवों और छोटे पौधों का जल्दी विनाश हो जाता है।

विनाश जारी

अनेक युगों (भूगर्भ-शास्त्रीय) की समाप्ति पर बड़ी संख्या में प्राणी भी विलुप्त हो गए। ऑर्डोविशियन काल, डेवोनियन काल, ट्राइएसिक काल तथा क्रेटासियस काल के अंत में प्राणियों व वनस्पतियों की संख्या व विविधता में भारी अंतर आया। समुद्रों में स्थित जैव विविधता में 15 से 25 प्रतिशत तक कमी आई। कुल मिलाकर 64 से 85 प्रतिशत तक जैव विविधता में कमी आ गई।

उपरोक्त कालों के अंत तक समय-समय पर विनाश लीलाएँ हुईं। इसके कारण प्राणियों की संख्या में कमी आती रही। भूगर्भ-शास्त्रियों ने अब तक एकत्रित आँकड़ों का विश्लेषण करके यह स्पष्ट करने का प्रयास किया है कि एक अवधि के पश्चात् बड़े पैमाने पर विनाश होता है, पर इसके कारण अलग-अलग प्रकार के हो सकते हैं। इनमें से कुछ के भौतिक या पर्यावरण संबंधी कारण होते हैं, जैसे किसी बड़ी उल्का का गिरना या बड़े पैमाने पर बाढ़ आना। कुछ अन्य प्रकार के कारण भी होते हैं, जैसे प्राणियों की संख्या का असाधारण रूप से बढ़ जाना। चंद प्रमुख कारण इस प्रकार हैं—

जलवायु में परिवर्तन : समय-समय पर जलवायु में परिवर्तन होते हैं। इनके अनेक कारण हो सकते हैं। जो प्राणी जलवायु के व्यापक परिवर्तन को सहन नहीं कर पाते, वे नष्ट या विलुप्त हो जाते हैं।

महादेशों की स्थिति में परिवर्तन : महाद्वीप सरकते रहे, पर कई बार सरकने का पैमाना बहुत बड़ा होता है और उस समय भारी भूकंप आता है तथा सुनामी लहरें सागरों में उठती हैं। ऐसे में कमजोर प्राणियों को भारी तबाही झेलनी पड़ती है और उनमें से अनेक विलुप्त हो जाते हैं।

एक वर्ग के प्राणियों की संख्या जब बहुत बढ़ जाती है तो उनमें आपसी संघर्ष भी प्रारंभ हो जाता है। अन्य प्राणी भी उन्हें आसान शिकार समझकर उनका भक्षण करने लगते हैं।

यहाँ विचित्र तथ्य यह भी है कि अत्यंत छोटे प्राणी व पक्षी भी महाविनाश के शिकार होते हैं। साथ ही बृहदाकार स्थलीय प्राणी व पक्षी भी महाविनाश के

सहज शिकार हो जाते हैं। उदाहरण के लिए, डायनासोर का विनाश इसलिए संभव हो गया, क्योंकि उनका आकार बहुत बड़ा था और गति अपेक्षाकृत बहुत कम थी। इसके अलावा एक तथ्य यह भी है कि छोटे प्राणियों की प्रजनन दर बहुत ज्यादा होती है और यदि ये चार भी बच जाते हैं तो उनकी संख्या पुन: बहुत बढ़ जाती है, पर बड़े प्राणियों की प्रजनन दर कम होती है और गर्भावस्था लंबी होती है। आपदा के समय गर्भवती मादाएँ जल्दी चपेट में आ जाती हैं।

कुछ प्राणियों का स्वरूप व स्वभाव बदल गया। कुछ समुद्री जीव समुद्र की गहराइयों में रहते थे और कम ऑक्सीजन पर अपना गुजारा करते थे। बाद के काल में वे तटीय इलाकों में वास करने लगे। इससे उनका स्वरूप बिलकुल बदल गया।

हालाँकि इस संबंध में अब तक का अध्ययन शैशवावस्था में है, पर फिर भी इतना अवश्य कहा जा सकता है कि इस प्रकार के महाविनाश की आवर्ती प्रक्रिया है और इसकी आवृति लगभग 2.6×10^7 वर्षों में होती है। हर महाविनाश में 30 से लेकर 90 प्रतिशत तक जैव विविधता नष्ट हो जाती है। कुछ विद्वानों का मानना है कि इस प्रकार की घटनाओं का संबंध खगोलीय स्थिति से है। जब आकाश में ग्रहों व तारों की स्थिति की एक निश्चित संरचना बनती है, तब इस प्रकार का महाविनाश होता है। इस संबंध में और अनुसंधान होना अभी बाकी है।

महाविनाश के पश्चात् पुनर्रचना

दिलचस्प बात यह है कि महाविनाश के पश्चात् नए सिरे से पुनर्रचना का कार्य प्रारंभ हो जाता है, पर यह भी सत्य है कि महाविनाश अल्पकाल में ही हो जाता है और इसकी तुलना में पुनर्रचना में बहुत अधिक समय लग जाता है।

पुनर्रचना की अवधि महाविनाश के पैमाने पर निर्भर करती है तथा पचास लाख वर्ष तक की हो सकती है। इसमें भी व्यापक विविधता देखने को मिलती है। उदाहरण के लिए—

बड़े पैमाने पर पुनर्रचना : अनेक मामलों में महाविनाश के पश्चात् तेजी से बड़े पैमाने पर पुनर्रचना प्रारंभ हो जाती है। सागरीय जीवों के बारे में ऐसा माना गया है कि जैव विविधता पूर्व स्थिति में आ जाती है।

विलंब से पुनर्रचना : कुछ मामलों में महाविनाश के पश्चात् लंबे समय तक यथा-स्थिति रहती है। उसके बाद जैव विविधता में धीमी गति से वृद्धि होती है और फिर यह जोर पकड़ती है।

यहाँ पर ध्यान देने योग्य तथ्य यह है कि जैव-विविधता जब कम होती है तो नई प्रजातियों के पौधों व प्राणियों की उत्पत्ति व विकास की दर अधिक होती है, पर जब जैव-विविधता काफी बढ़ जाती है तो नए प्राणियों की उत्पत्ति व विकास की दर कम होती चली जाती है।

महाविनाश के कारण जब तक प्रभावकारी रहते हैं, तब तक प्रकृति में सृजन बाधित रहता है। जब ये कारण हलके पड़ जाते हैं तथा प्रतिरोध की शक्ति पर्याप्त हो जाती है, तब नव-सृजन अपनी रफ्तार पकड़ता है।

एक अन्य तथ्य यह है कि नए प्राणियों के सृजन व विकास में काफी समय लगता है। इस कारण महाविनाश के पश्चात् पुनः सृजन में काफी विलंब देखा गया है।

विनाश के पश्चात् अल्प अवधि के लिए उत्पन्न प्रजातियाँ : यह भी देखा गया है कि महाविनाश के पश्चात् प्रजातियाँ विकसित हो जाती हैं। ये एक अवधि तक छाई रहती हैं। उसके बाद फिर सामान्य प्रकार के पौधे व प्राणी विकसित होते हैं। विनाश के पश्चात् उत्पन्न प्रजातियाँ विलुप्त हो जाती हैं तथा सामान्य प्रजातियाँ ही आगे पनपती हैं।

अंत में : उपरोक्त अध्ययन से स्पष्ट होता है कि प्रकृति जहाँ एक ओर

अति सृजनशील है, वहीं दूसरी ओर क्षणभंगुर भी है। अब तक के अध्ययन बतलाते हैं कि लगभग 1,00,00,000 वर्ष बाद महाविनाश होता है, जिसमें 50 प्रतिशत से अधिक जैव विविधता नष्ट हो जाती है। अब तक कम-से-कम पाँच बार ऐसा हो चुका है। पूर्व स्थिति आने में कम-से-कम 50 लाख से एक करोड़ वर्ष लग जाते हैं। इस समय जो स्थिति चल रही है, उसमें 41 प्रजातियाँ प्रतिदिन नष्ट हो रही हैं और इस प्रकार 16000 वर्ष के पश्चात् 96 प्रतिशत जैव-विविधता नष्ट हो जाएगी।

◻

प्राणी विलोप के प्रमुख उदाहरण

वैसे तो पृथ्वी का इतिहास लगभग 360 करोड़ वर्ष पुराना है, पर लगभग 60 करोड़ वर्ष पूर्व प्राणियों की विविधता पहले धीमे और फिर बहुत तेजी से बढ़ी है। इस अवधि में कम-से-कम पाँच बार ऐसे महासंकट आए हैं, जब प्राणियों की एक बड़ी संख्या हमेशा के लिए विलुप्त हो गई और उपलब्ध जैव-विविधता में भारी कमी आई।

इसके अतिरिक्त बीच-बीच में छोटे-बड़े संकट भी आते रहे, जिनमें प्राणियों की विविधता व संख्या में कमी आई, पर पृथ्वी की उर्वरा शक्ति इतनी प्रबल है कि छोटे संकट ऐतिहासिक प्रभाव नहीं डाल पाते हैं। प्रकृति, परिस्थिति के सामान्य होते ही तेजी से सृजन करने में जुट जाती है।

आज से लगभग 43.9 करोड़ वर्ष पूर्व एक बहुत बड़ा महाविनाश हुआ था, जो दो चरणों में हुआ था और दोनों चरणों के मध्य लगभग दस लाख वर्ष का अंतराल था। इसमें समुद्री जीवों का बड़े पैमाने पर विनाश हुआ था। समुद्र में भी जो जीव किनारों की ओर वास करते थे, वे लगभग पूरी तरह नष्ट हो गए। गहरे पानी में वास करनेवाले जीवों का भी बड़े पैमाने पर विनाश हुआ।

इस विनाश के कारणों का भी विश्लेषण किया गया है। इसका कारण 'ग्रीनहाउस-प्रभाव' ही माना जाता है। इसका एक कारण यह था कि वे समुद्री धाराएँ, जो समुद्र से नीचे का पानी ऊपर लाती हैं, इस अवधि में थम गई थीं। इस कारण समुद्र की तली पर ऑक्सीजन का अभाव हो गया था।

शीघ्र ही जलवायु शीतल हो गई। विभिन्न भागों में बर्फ जमने लगी और ग्लेशियरों का निर्माण प्रारंभ हो गया। इससे समुद्र का तल नीचे चला गया।

किनारे का इलाका खाली होता गया। इससे फिर एक बार विनाश हुआ। प्राणियों को अपना निवास बदलना पड़ा। इस प्रक्रिया में नाजुक प्राणी नष्ट हो गए। अनेक प्राणियों का स्वरूप व जीवन-शैली बदल गई।

प्रकृति में आवृतीय परिवर्तन होते हैं। हर पाँच से दस लाख वर्ष की अवधि में पहले बर्फ जमती है, जिसमें सागर का स्तर काफी नीचे चला जाता है, फिर बर्फ तेजी से पिघलती है और सागर-तल ऊपर हो जाता है। दोनों ही परिस्थितियों में विनाश होता है और प्राणियों की संख्या व विविधता में कमी आ जाती है। इस प्रक्रिया से तापमान में भी काफी उतार-चढ़ाव देखे जाते हैं।

ऐसा ही एक महाविनाश 'डेवोनियन काल' के अंतिम चरण में हुआ था। इसमें भी समुद्री जीवों का बड़े पैमाने पर विनाश हुआ था। इस महाविनाश का अधिक प्रभाव उन क्षेत्रों पर हुआ, जहाँ पर आज ऑस्ट्रेलिया, उत्तरी अमेरिका का पश्चिमी भाग, रूस तथा यूरोप हैं।

आमतौर पर मछलियाँ महाविनाश के दौरान अपना काफी हद तक बचाव कर लेती हैं, पर इस महाविनाश में उनका भी व्यापक विनाश हुआ। केवल शार्क मछलियों ने अपना सफलतापूर्वक बचाव किया। जबड़ा विहीन, कवच युक्त मछलियाँ तो विलुप्त ही हो गईं।

जैव-विविधता के नष्ट होने के निम्न कारण सामने आए हैं। ये हैं—

1. बाहरी प्रभाव, जैसे किसी बृहद उल्का का गिरना।
2. समुद्री जल के स्तर में भारी अंतर।
3. जलवायु में व्यापक परिवर्तन।
4. विश्व स्तर का शीतलीकरण।

बाहरी प्रभाव के दूरगामी परिणाम होते हैं—यथा ऐसे पदार्थों की अधिकता हो जाती है, जो पृथ्वी पर कम और खगोलीय पिंडों में अधिक पाए जाते हैं। ये हैं, इरीडियम जैसे पदार्थ। इसके अतिरिक्त बाहरी प्रभाव के कारण कुछ पदार्थ उत्पन्न होते हैं, जैसे शॉक्ड क्वार्टज, फ्यूज्ड ग्लास। साथ ही कार्बन चक्र में भी परिवर्तन देखा जाता है।

'डेवोनियन काल' के अंतिम दौर में 52 कि.मी. के आकार की उल्का के स्वीडन में गिरने के प्रमाण मिले हैं। इसके कारण इरीडियम की उपलब्धता में भी वृद्धि देखी गई। साथ ही कार्बन चक्र में भी परिवर्तन देखा गया है, पर महाविनाश

इसके कारण हुआ होगा, इसके पर्याप्त प्रमाण नहीं है।

शीतलीकरण के कारण विनाश हुआ होगा, इसके भी पर्याप्त प्रमाण नहीं हैं। यह माना जा सकता है कि महाविनाश विभिन्न कारणों के सम्मिलित प्रभाव से हुआ होगा।

'पर्मियन काल' के अंतिम दौर में एक महाविनाश हुआ, जिसमें लगभग 95 प्रतिशत समुद्री जीव और लगभग 70 प्रतिशत स्थलीय प्राणी नष्ट हो गए। यह महाविनाश भी दो चरणों में पूरा हुआ। इसमें छोटे-छोटे कीड़े भी चपेट में आ गए, जो आमतौर पर बच जाते हैं।

इसका एक प्रमुख कारण जलवायु में हुआ व्यापक परिवर्तन था। पहला चरण पर्मियन काल के मध्य में प्रारंभ हुआ था, जबकि समुद्र का जलस्तर बहुत नीचे चला गया था। इससे संसार के अनेक तटीय इलाके, जो आज जलाच्छादित हैं, वे सूख गए थे। इसके एक करोड़ वर्ष बाद अर्थात् पर्मियन काल के अंत में दूसरा चरण संपन्न हुआ, पर कारण पूरी तरह स्पष्ट नहीं है। पहले चरण के महाविनाश के पश्चात् कुछ नए प्रकार के जीव व पौधे उत्पन्न हुए, पर दूसरे चरण में वे भी नष्ट हो गए।

इस अवधि में पृथ्वी की भूपर्पटी के नीचे स्थित प्लेटों में व्यापक परिवर्तन हुए, इसके कारण जलवायु में बड़े परिवर्तन होते रहे। इसी काल में बृहद महादेश 'पेंजिया' बना और अनेक स्थलीय इलाके एक दूसरे से टकराए, जिनसे ऊँचे पर्वतों का निर्माण हुआ। इसी काल में भीषण बाढ़ भी आई। 20-30 लाख घनमीटर पानी एक बड़े इलाके साइबेरिया में भर गया। कुछ स्थानों पर पानी की गहराई 4 किलोमीटर तक थी।

'ट्राइएसिक काल' में एक और महाविनाश हुआ, जो पैमाने में अपेक्षाकृत छोटा था। इस अवधि में समुद्र के जलस्तर में भी बड़े परिवर्तन हुए।

इसके पश्चात् 'क्रेटासियस काल' के अंत में एक महाविनाश हुआ, जिसके शिकार डायनासोर भी थे, जो आज एक अति लोकप्रिय विलुप्त प्राणी हैं।

इस अवधि में भी बाहरी पिंड के गिरने की संभावना पाई गई है। इसका कारण इरीडियम की असामान्य उपलब्धता है। यह माना गया है कि लगभग 200 किलोमीटर आकार का खगोलीय पिंड गिरा था। इसके कारण भाप व सल्फर डायक्साइड के घनघोर बादल उठे थे। ये बादल लंबे समय तक छाए रहे

और उसके पश्चात् लंबे समय तक अम्ल वर्षा होती रही। इस कारण स्थलीय क्षेत्रों के प्राणियों का भारी विनाश हुआ। हालाँकि कुछ विद्वानों का मानना है कि धूल और धुआँ कुछ सप्ताहों में कम हो गया और कुछ महीनों में लगभग साफ हो गया होगा तथा महाविनाश में इसके कारण नुकसान अपेक्षाकृत अल्प रहा होगा।

उपरोक्त के अतिरिक्त ऐसे महाविनाश भी हुए, जिनमें प्राणियों की संख्या व विविधता में अपेक्षाकृत कम कमी आई।

आज से लगभग एक लाख वर्ष पूर्व जो महाविनाश हुआ था, उसमें यूरोप, उत्तरी व दक्षिणी अमेरिका, ऑस्ट्रेलिया के बहुत बड़ी संख्या में स्तनपायी प्राणी मारे गए थे, पर अफ्रीका इस महाविनाश से अप्रभावित रहा था। आज से दस-बारह हजार वर्ष पूर्व फिर से एक बार, विशेषकर यूरोप में बड़ी संख्या में प्राणी विलुप्त हुए। इसके बाद जो विनाश हुआ, वह मानवजन्य अधिक था। मानव ने अपने शौक व अपनी आवश्यकताओं के कारण अनेक प्राणियों का समूल नाश कर दिया।

महाविनाश का यह सिलसिला आज भी जारी है!

□

प्राणी व उनके युग

विभिन्न धार्मिक ग्रंथ पृथ्वी, प्राणियों व मनुष्य की आयु के बारे में अपने-अपने अनुमान बताते हैं, जिन्हें लोग अपने-अपने विश्वास के आधार पर मान भी लेते हैं। उदाहरण के लिए हिंदू या सनातन धर्म के अनुसार यह चक्र अनादिकाल से चला आ रहा है। प्रलय के पश्चात् पुनः सृष्टि होती है। सतयुग, द्वापर युग, त्रेतायुग और फिर कलियुग आते हैं और उसके पश्चात् पुनः प्रलय होकर एक नया क्रम प्रारंभ होता है।

दूसरी ओर यहूदी, ईसाई तथा इसलाम के अनुसार यह पृथ्वी लगभग 6000 वर्ष पुरानी है और उसकी रचना ईश्वर ने एक बार में ही की है, जो कि पूर्ण व अपरिवर्तनीय है।

आज प्राप्त वैज्ञानिक आधारों के अनुसार यह कहा जा सकता है कि भारतीय मान्यता वैज्ञानिक मान्यता के अधिक करीब है और सभी पश्चिमी मान्यताएँ वैज्ञानिक तथ्यों के सामने ध्वस्त हो चुकी हैं।

वैज्ञानिक मान्यता

वैज्ञानिक मान्यताओं के अनुसार पृथ्वी लगभग 360 करोड़ वर्षों से भी अधिक पुरानी है। इसकी आयु व विभिन्न प्राणियों की उत्पत्ति तथा उनके युगों के संबंध में केवल अनुमान ही लगाए जाते रहे हैं।

अनुमान चट्टानों और उनकी आयु से संबंधित वर्गीकरण के आधार पर लगाया जाता है। सबसे निचली चट्टानें ऐसी हैं, जिनमें कोई जीवाश्म नहीं

मिलता है। ये चट्टानें आग्नेय चट्टानें कहलाती हैं। इन्हें 'आधारभूत चट्टान' भी कहा जाता है—

इसके ऊपर की चट्टानों को चार वर्गों में बाँटा जाता है। ये हैं—

* प्राथमिक चट्टानें या पहले युग की चट्टानें।
* द्वितीयक चट्टानें या दूसरे युग की चट्टानें।
* तृतीयक चट्टानें या तीसरे युग की चट्टानें।
* चतुर्थक चट्टानें या चौथे युग की चट्टानें।

पहले युग की चट्टानें : इन चट्टानें के बीच प्राचीन कवच युक्त या साधारण मछली जैसे प्राणियों के जीवाश्म मिलते हैं। इस युग को 'पैलेजोइक युग' भी कहा जाता है।

दूसरे युग की चट्टानें : इनके बीच में अनेक प्रकार के प्राणियों के जीवाश्म मिलते हैं। इनमें कवच युक्त प्राणी शामिल हैं तथा मछली वर्ग के प्राणी भी। साथ ही धरती पर रेंगने वाले सरीसृप वर्ग के प्राणी भी होते हैं और उभयचर वर्ग के प्राणी भी—जैसे मेढक आदि। इस वर्ग की चट्टानों को 'मीसोजोइक काल' की चट्टानें भी कहा जाता हैं।

तीसरे युग की चट्टानें : इस वर्ग की चट्टानों के बीच जो जीवाश्म मिलते हैं, वे स्तनपायी जीवों तथा पक्षियों के जीवाश्म हैं। इस युग को 'सीनोजोइक युग या काल' भी कहा जाता है।

चौथे युग या आधुनिक युग की चट्टानें : इस प्रकार की चट्टानों के बीच दिखाई देनेवाले प्राणियों, पौधों आदि के जीवाश्म मिल जाते हैं, पर साथ ही हिम-युग का प्रभाव भी देखने को मिल जाता है।

काल का उपरोक्त विभाजन बहुत ज्यादा मोटे तौर पर है और आज भूगर्भशास्त्री काफी हद तक बारीक विभाजन भी कर लेते हैं। उसके लिए सटीक मापन प्रणालियाँ, जैसे रेडियो आइसोटोप, डेटिंग आदि भी उपलब्ध हो चुकी हैं।

उदाहरण के लिए मीसोजोइक काल को तीन उपवर्गों में बाँटा गया है। ये हैं—

ट्राइएसिक काल   — 24.5 से 20 करोड़ वर्ष पूर्व,

जुरासिक काल   — 20.0 से 14.4 करोड़ वर्ष पूर्व,

क्रेटासियस काल   — 14.4 से 6.5 करोड़ वर्ष पूर्व,

दिलचस्प बात यह है कि उपरोक्त विभाजन समान अवधि का नहीं है। इनके नाम भी अजीब आधार पर हैं। उदाहरण के लिए, ट्राइएसिक काल का नामकरण तीन प्रकार की चट्टानों के नाम पर पड़ा है। जुरासिक नाम फ्रांस के 'जुरा' पहाड़ से निकली चट्टानों के नाम पर है। इसी तरह क्रेटासियस नामकरण इस आधार पर है कि सफेद चॉक की मोटाई को 'क्रेटा' कहा जाता है। यह यूरेशिया तथा उत्तरी अमेरिका में बहुतायत पाई जाती है।

प्राणियों की उत्पत्ति

विभिन्न प्रकार के प्राणियों की उत्पत्ति विभिन्न कालों में हुई है। प्राणियों व उनके काल के बारे में क्रमानुसार विवरण इस प्रकार है—

अकशेरुकी प्राणी : इसकी उत्पत्ति सबसे पहले हुई। प्रीकैंब्रियन युग की चट्टानों के बीच भी इनके जीवाश्म मिल जाते हैं। इन प्राणियों में भारी विविधता देखने को मिलती है। बीच-बीच में जब महाविनाश का दौर आया तो इनकी संख्या व विविधता में भारी कमी आई, पर जैसे ही पुन:सृजन प्रारंभ हुआ, ये पुन: उत्पन्न हो गए। हालाँकि इनके स्वरूप में परिवर्तन होता रहा। इस प्रकार आज से लगभग 65 करोड़ वर्ष पूर्व ये अस्तित्व में आए और अभी लंबे समय तक इनके अस्तित्व को कोई खतरा नहीं है।

मछलियाँ : अकशेरुकी प्राणियों की ही भाँति मछलियों की उत्पत्ति भी जल में ही हुई, पर अंतर यह है कि अकशेरुकी प्राणियों की बहुत बड़ी संख्या व विविधता स्थल में आ गई, जबकि मछलियाँ जल में ही बनी रहीं।

मछलियों की प्रकृति व संख्या ऐसी होती है कि वे भारी विनाश भी झेल लेती हैं और उनका अस्तित्व बना रहता है। आज से 55 करोड़ वर्ष पूर्व ये अस्तित्व में आईं और आगे भी इनका अस्तित्व बना रहेगा, ऐसी आशा है।

स्थलीय पौधे : स्थलीय पौधे आज से लगभग 45 करोड़ वर्ष पूर्व अस्तित्व में आए। बीच में जब भारी विनाश हुआ तो ये पृथ्वी के नीचे दब गए और आज भी ये कोयला व अन्य खनिज पदार्थों के रूप में प्रयोग होते हैं। इनका स्वरूप

ऐसा ही रहेगा, इसमें संदेह है। पर इनका अस्तित्व लंबे समय तक बना रहेगा।

एंफीबियन : उभयचर प्राणी जैसे मेढक आदि की उत्पत्ति आज से 37–38 करोड़ वर्ष पूर्व हुई थी। इनका अस्तित्व भी लंबे समय तक बना रहेगा।

सरीसृप जीव : रेंगनेवाले जीव, एक समय पर इस वर्ग के प्राणियों का पृथ्वी पर अधिपत्य था।

स्तनपायी जीव : आज इस वर्ग के प्राणियों का पृथ्वी पर आधिपत्य है। यह आधिपत्य तब तक बना रहेगा जब तक कि किसी महाविनाश की चपेट में यह वर्ग नहीं आ जाता।

पक्षी वर्ग : ये प्राणी सबसे बाद में अस्तित्व में आए, पर आज इनका आकाश में एकच्छत्र राज है। आज से लगभग 20 करोड़ वर्ष पूर्व ये अस्तित्व में आए थे। समय के साथ इनके स्वरूप में अवश्य परिवर्तन हुआ होगा, पर इनका आधिपत्य आकाश में जारी रहेगा।

पर जो मिट गए : उपरोक्त प्राणी वर्ग वे हैं, जो बाधाओं, झंझावातों और महाविनाश को झेलते हुए डटे रहे और उनका अस्तित्व बरकरार है।

पर प्राणियों का एक वर्ग ऐसा भी है, जो स्तनपायी जीवों से पूर्व ही अस्तित्व में आया, पर वह अपना अस्तित्व नहीं बचा पाया। आज से लगभग 26.5 करोड़ वर्ष पूर्व स्तनपायी जीवों की उत्पत्ति से पूर्व ही डायनासोरों का पूरी पृथ्वी पर आधिपत्य हो गया और यह आधिपत्य एक लंबी अवधि तक बना रहा।

20 करोड़ वर्ष तक पृथ्वी पर एकच्छत्र राज्य करनेवाले डायनासोरों का न केवल आधिपत्य टूटा वरन् अस्तित्व ही मिट गया। ये ट्राइएसिक काल में पृथ्वी पर आए थे और क्रेटासियस के अंत में लुप्त हो गए। इनके युग को 'मीसोजोइक युग' भी कहा जाता है।

अब तक डायनासोरों के जो जीवाश्म मिले हैं, उनमें सबसे प्राचीन माना जानेवाला जीवाश्म आज से 22.5 करोड़ वर्ष पुराना है। यह काल 'ट्राइएसिक काल' कहलाता है। ये जीवाश्म अर्जेंटीना व मेडागास्कर में मिले

हैं। बाद में डायनासोरों की अनेक प्रजातियाँ विकसित हुईं, जिन्हें पाँच वर्गों में बाँटा गया है। तीन वर्गों के डायनासोर मांसाहारी थे, जबकि एक वर्ग का डायनासोर शुद्ध शाकाहारी था। एक वर्ग का डायनासोर शाकाहारी व मांसाहारी दोनों था।

□

काल्पनिक डायनासोर

सदियों तक लोग पौराणिक ग्रंथों में विभिन्न लोकों की यात्रा करने का आनंद लेते रहे और फिर विभिन्न भाषाओं में रचे साहित्य में चाँद सहित विभिन्न ग्रहों की यात्राओं के बारे में पढ़ते और कल्पना करते रहे। सदियों तक लोग इसे पूरी तरह काल्पनिक मानते रहे तथा किसी को रत्तीभर भी आशा नहीं थी कि एक दिन यह वास्तविकता बन जाएगी और मनुष्य चंद्रमा सहित अन्य ग्रहों पर जीवन तलाशने व अपनी बस्तियाँ बसाने के लिए सघन प्रयास में जुट जाएगा।

लगभग ऐसा ही सबकुछ डायनासोर जैसे प्राचीन प्राणी के साथ हुआ, जो आज विश्व का सर्वाधिक लोकप्रिय विलुप्त प्राणी बन चुका है।

ईसा पूर्व काल

ईसा पूर्व सातवीं शताब्दी में यूनानियों का मध्य एशिया में विकसित सभ्यता के लोगों के साथ संपर्क हो चुका था। वहाँ से उन्हें लिखित अभिलेख प्राप्त हुए, जिनमें ग्रिफिन नामक एक प्राणी का उल्लेख था। यह भेड़िए के आकार का था तथा उसके चार पैर व एक चोंच भी थी। इसके पैरों के पंजों में तीखे नाखून थे।

इसके अतिरिक्त ईसा पूर्व 3000 के आस-पास की एक कलाकृति में इस प्रकार के प्राणी का वर्णन मिला था। उस काल में लोग एशिया से यूरोप तक की यात्रा एक व्यापारिक मार्ग (जो रेशमी मार्ग कहलाता था) से करते थे, जो चीन व मंगोलिया होकर जाता था। इस मार्ग के आस-पास बड़ी संख्या में जीवाश्म पाए गए। वहाँ की मिट्टी लाल, मुलायम और रेतीली थी और उसमें ये जीवाश्म अलग ही लगते थे और साफ दिखाई दे जाते थे। उनमें लोगों को उपरोक्त ग्रिफिन

का भी अस्थि पंजर मिला था। इसके आधार पर पौराणिक काल के जीवों की कल्पना की जाती रही है।

इस प्रकार ग्रिफिन के आधार पर डायनासोरों के विभिन्न स्वरूपों व प्रजातियों की कल्पना की गई, जिनमें पंख युक्त उड़नेवाले डायनासोर भी थे।

उधर चीन में, जहाँ से होकर रेशम मार्ग जाता था, लोग डायनासोर की हड्डियों या जीवाश्म को ड्रैगन की अस्थियाँ या जीवाश्म मानते थे। अनेक चीनी साहित्यकारों ने इन विशाल हड्डियों का उल्लेख अपने साहित्य में रोचक तरीके से किया था। मध्य चीन के ग्रामीण इन हड्डियों से अपनी परंपरागत औषधियाँ तैयार करते थे। यह परंपरा आज भी जारी है।

यूरोप में लोग इन्हें विशालकाय दानवों व अन्य प्राणियों की हड्डियाँ मानते थे और यह भी माना जाता था कि ये सभी भीषण बाढ़ों में मारे गए होंगे।

सत्रहवीं सदी में ही डायनासोर की अस्थियों पर अनुसंधान भी प्रारंभ हो गया था। इंग्लैंड के ऑक्सफोर्डशायर में 1676 में एक विशाल अस्थि मिली थी, जिसे रसायनशास्त्र के एक प्रोफेसर रॉबर्ट प्लॉट के पास भेजा गया था। ऑक्सफोर्ड विश्वविद्यालय के प्रोफेसर ने उसका बारीकी से अध्ययन किया और यह माना कि यह एक विशालकाय अज्ञात प्राणी के टाँगों की हड्डी है। उन्होंने इसे बाइबिल में वर्णित एक विशाल प्राणी की हड्डी जैसा माना।

इसके साथ ही सर आइजक न्यूटन के एक मित्र वैज्ञानिक एडवर्ड लायड ने 1699 में इसके संबंध में एक अध्ययन प्रकाशित किया। इसके साथ ही डायनासोर की पहचान से संबंधित कार्य विधिवत् प्रारंभ हुआ।

❑

जॉर्ज कुवियर (1769-1832)

जॉर्ज कुवियर एक प्रकृति-विज्ञानी थे तथा सम्राट् नेपोलियन के शासन काल में पेरिस में एक प्रशासक के रूप में कार्यरत थे। उन्होंने प्रकृति के विभिन्न पहलुओं पर विविध प्रकार का अनुसंधान व चिंतन किया था। उनके अनुसंधान क्षेत्रों में चट्टानें, खनिज पदार्थ, जीवाश्म, जीवित प्राणी आदि शामिल थे।

उन्हें भी हॉलैंड के एक स्थान से एक विशाल सरीसृप वर्ग के प्राणी का जीवाश्म मिला। वह जीवाश्म किस कदर रोचक होगा, इसका आभास इस बात से होता है कि जब नेपोलियन की सेना ने हॉलैंड के इस इलाके पर कब्जा किया तो इस अस्थि पंजर को विजय की ट्रॉफी माना गया था।

प्रारंभ में इस अस्थि ढाँचे को घड़ियाल का ढाँचा माना गया था, पर कुवियर ने इसे समुद्र में वास करनेवाला एक सरीसृप वर्ग का प्राणी माना। बाद में एक अँगरेज पादरी व प्रकृति विज्ञानी कोनी वियर ने उसका नाम मोजासोरस रखा। इसके साथ ही सरीसृप वर्ग के ऐसे प्राणियों की विधिवत् तलाश प्रारंभ हो गई, जो लुप्त हो चुके थे। इसके साथ ही बाइबिल में वर्णित पृथ्वी की आयु संबंधी सिद्धांत को एक और आघात लगा तथा बाइबिल में वर्णित आयु से पूर्व के युग की कल्पना प्रारंभ हो गई।

इसके साथ ही जीवाश्म को नई दृष्टि से देखने तथा उनका वर्णन करने की परंपरा प्रारंभ हो गई। नेपोलियन की पराजय के पश्चात् पश्चिमी यूरोप में शांति हो गई और कुवियर ने 1817-18 में इंग्लैंड की यात्रा की और जीवाश्मों, विशेषकर बृहदाकार जीवाश्मों के क्षेत्र में कार्य कर रहे अन्य अँगरेज वैज्ञानिकों से इस संबंध में चर्चा की। उस समय तक ऑक्सफोर्ड विश्वविद्यालय में विलियम बकलैंड नामक भूगर्भ शास्त्री ने विशालकाय स्थलवासी सरीसृप वर्ग के प्राणियों के जीवाश्मों का संग्रह तैयार किया था।

इस संग्रह को देखकर कुवियर को अपने विशालकाय जीवाश्म की याद आई। इस समय तक बकलैंड ने अन्य लोगों की सहायता से एक विशाल प्राणी का नाम 1824 में मेगालो सॉरस रखा था।

इसके साथ ही इस संबंध में खोजों का सिलसिला तेज हो गया। एक महत्त्वाकांक्षी व ऊर्जावान् चिकित्सक मेंडल ने अपना खाली समय भूगर्भ शास्त्र संबंधी अध्ययन में लगाना प्रारंभ किया। 1822 में उनकी पुस्तक भी इस संबंध में प्रकाशित हुई, जिसमें अनेक चित्र थे। उन चित्रों में सरीसृप वर्ग के प्राणियों के असाधारण रूप से विशाल दाँत व हड्डियों के चित्र भी सम्मिलित थे।

विशेष बात यह भी थी कि डॉ. मेंडल की पत्नी भी इस कार्य में गहरी रुचि रखती थी और हर प्रकार का योगदान करती थी। डॉ. मेंडल ने विशेष प्राणियों के दाँत खरीदने में काफी पैसा खर्च किया और फिर उनके चित्र बनवाए। उन्होंने इस विषय पर कार्य कर रहे वैज्ञानिकों के साथ लगातार संबंध बनाए रखा और विचारों का आदान-प्रदान किया। उन्होंने अपने अध्ययनों को समय-समय पर प्रस्तुत किया, जिन पर चर्चाएँ हुईं।

प्रारंभ में डॉ. मेंडल के विचारों का अन्य विद्वानों ने खंडन किया, पर मेंडल ने हार नहीं मानी और आगे अध्ययन जारी रखा। उन्हें लंदन स्थित शाही म्यूजियम में दक्षिण अमेरिका से प्राप्त एक प्राणी का अस्थिपंजर मिला, जो एक शाकाहारी प्राणी का ढाँचा था। उन्होंने इसका नाम इगुवांडन रखा।

इस अनुसंधान से उस समय तक यह स्थापित हो चला था कि प्राचीन काल में बड़े-बड़े छिपकली वर्ग के प्राणी वास किया करते थे।

1815 से 1824 के मध्य रेव विलियम बकलैंड, जो ऑक्सफोर्ड विश्वविद्यालय में भूगर्भ शास्त्र के प्रोफेसर थे, ने एक वैज्ञानिक पत्रिका हेतु

डायनासोर पर एक शोधपत्र लिखा, जो प्रकाशित हुआ। इससे वैज्ञानिक जगत् में डायनासोरों के प्रति रुचि बहुत बढ़ गई।

उधर एक अन्य भूगर्भ शास्त्री गिडियोन ने मिलते-जुलते जीवाश्म के आधार पर इगुवांडन नामक विशालकाय प्राणी की कल्पना को सामने रखा। अब यह माना जाने लगा कि ये सरीसृप वर्ग के विशालकाय प्राणी हैं, पर पहले-पहल डायनासोर नाम का उल्लेख रिचर्ड ओवन ने किया था।

☐

प्रो. रिचर्ड ओवन

सन् 1804 में जनमे प्रो. रिचर्ड ओवन, जो मूलतः शरीर रचना शास्त्री थे। 1840 के दशक में वे चंद प्राणियों के जीवाश्मों का गहराई के साथ अध्ययन कर रहे थे। उस समय ब्रिटिश साम्राज्य अपने चरम पर था और उसके राज्य में सूर्य कभी अस्त नहीं होता था। अन्य क्षेत्रों के अतिरिक्त अँगरेज इसका लाभ ज्ञान-विज्ञान के क्षेत्र में भी उठा रहे थे तथा दुनिया के कोने-कोने से जीवाश्म इंग्लैंड लाए जा रहे थे।

रिचर्ड ओवन रॉयल कॉलेज ऑफ सर्जन्स के अजायबघर में कार्य कर रहे थे। यहाँ पर वे विश्व के विभिन्न भागों से लाए जा रहे जीवाश्मों के नमूनों का विधिवत् विश्लेषण कर रहे थे।

विभिन्न क्षेत्रों में गौरवशाली उपलब्धियों के प्रदर्शन हेतु एक प्रदर्शनी 1851 में हाइड पार्क में आयोजित की गई थी, जिसमें अस्थायी पंडाल लगाए गए थे। यह प्रदर्शनी इतनी शानदार व प्रभावी सिद्ध हुई कि इसमें प्रदर्शित नमूनों को स्थायी रूप से दरशाने के लिए एक स्थायी इमारत बनाई गई। यहाँ पर प्रकृति के इतिहास व भूगर्भ शास्त्र में उपलब्ध ज्ञान को दरशाने की विशेष व्यवस्था की गई थी। वहाँ पर गुफाएँ, भूगर्भ शास्त्र संबंधी स्ट्राटा अर्थात् स्तर का भी जीवंत प्रदर्शन किया गया था। यह भी दरशाया गया था कि प्राचीन

काल में लोग किस प्रकार रहा करते थे। यहीं पर उस समय तक उपलब्ध डायनासोरों के संबंध में जानकारियाँ दरशाई गई थीं।

उधर अमेरिका, जो आजादी के पश्चात् विभिन्न क्षेत्रों में आगे बढ़ने का प्रयास कर रहा था, में भी 1858 में पहले-पहल डायनासोर के जीवाश्म मिले। हालाँकि इससे पहले भी हड्डियाँ मिली थीं, पर उनकी विधिवत् पहचान नहीं हो पाई थी। न्यू जर्सी के पास हेडनफील्ड नामक एक छोटे से शहर में जो हड्डियाँ मिली थीं, उनकी पूरी पहचान हुई, क्योंकि यह डायनासोर का पूरा अस्थि-पंजर था। पहले पहल यह माना गया कि डायनासोर अन्य छिपकली प्रजाति के प्राणियों की भाँति चार पैरों पर चलता होगा। इसके साथ ही पूरे संयुक्त राज्य अमेरिका में डायनासोर के बारे में जानने-समझने की होड़ मच गई।

संभवत: डायनासोर ही एकमात्र ऐसा प्राणी है, जिसके बारे में जानने-समझने की भारी होड़ मची। वैज्ञानिकों के बीच कड़ी स्पर्धा कायम हुई और वह लंबे समय तक चलती रही। एडवर्ड ड्रिकर कोप और ओश्नियल चार्ल्स मार्श के मध्य इस संबंध में कड़ी प्रतिस्पर्धा प्रारंभ हुई, जो बोन वॉर अर्थात् अस्थि युद्ध के नाम से लोकप्रिय हो गई। वास्तव में जीवाश्म आमतौर पर टूटे हुए मिलते हैं। वैज्ञानिक उन्हें जोड़-जोड़ कर और बीच में अपनी कल्पना का समावेश करके एक पूर्ण जीव की परिकल्पना संसार के समक्ष रखते हैं।

ऐसा ही प्रयास कोप ने किया और डायनासोर की रूप रेखा संसार के समक्ष रखी, पर मार्श ने उसकी खिल्ली उड़ाई और कह दिया कि कोप ने पूँछ का भाग सिर के स्थान पर रख दिया है। इस मान-अपमान के दौर ने दुनिया को तो नया और रोचक मसाला दिया, पर वैज्ञानिक व्यक्तिगत तौर पर बरबाद हो चले। 1897 में जब कोप का देहांत हुआ तो वे अपना सबकुछ डायनासोर से संबंधित तथ्यों की तलाश में लुटा चुके थे। चूँकि मार्श को अमेरिकी भूगर्भ शास्त्र से अनुदान मिलता था, अत: वे व्यक्तिगत तौर पर बरबाद नहीं हुए और दोनों वैज्ञानिकों की डायनासोर संबंधी अंधी दौड़ में स्पष्ट विजेता सिद्ध हो चुके थे।

डायनासोर की कुल प्रजातियों की ज्ञात संख्या 142 है, जिसमें से 86 की

खोज मार्श ने की और 56 की कोप ने। कोप की खोजों का एक संग्रह न्यूयॉर्क स्थित 'अमेरिकन म्यूजियम ऑफ नेचुरल हिस्ट्री' में है। जबकि मार्श की खोजों का संग्रह येल विश्वविद्यालय स्थित 'पीबॉडी म्यूजियम ऑफ नेचुरल हिस्ट्री' में प्रदर्शन हेतु उपलब्ध है।

◻

विश्वव्यापी डायनासोर

वास्तव में डायनासोर एक ऐसा प्राणी था, जो विश्व के विभिन्न भागों में विद्यमान था। इंग्लैंड और अमेरिका की खोजों के पश्चात् विश्व के अन्य महादेशों में इसकी तलाश प्रारंभ हुई। धीरे-धीरे हर महादेश में इसके जीवाश्म मिल गए।

जब मनुष्य के कदम अंटार्कटिका में पड़े तो अन्य चीजों के साथ वहाँ पर डायनासोरों की तलाश भी प्रारंभ हुई। वहाँ के रॉस द्वीप में 1986 में पहले-पहल डायनासोर के जीवाश्म मिले। इसका विधिवत् नामकरण किया गया और 1994 में एक वैज्ञानिक पत्रिका में इसे स्थान मिला।

आज भी दुनिया के विभिन्न कोनों में उसकी तलाश की जा रही है और डायनासोर की नई-नई प्रजातियाँ मिल रही हैं। सबसे अधिक तलाश लैटिन अमेरिका (विशेष रूप से अर्जेंटीना) तथा चीन में की जा रही है। चीन में डायनासोर की नई प्रजाति मिली है, जो पंख युक्त है। वहाँ पर अम्ल वर्षा के प्रमाण भी मिले हैं, जिसके कारण जलवायु में व्यापक परिवर्तन हुए होंगे, ऐसा माना जाता है।

अनुसंधान का नया दौर

अब तक के अध्ययन से यह ज्ञात हुआ था कि डायनासोर एक शीतल रक्तवाला धीमी गति से रेंगनेवाला प्राणी था, पर 1970 के दशक में जॉन ऑस्ट्रम ने गरम खूनवाले डायनासोर प्रजाति के प्राणी डिनोनिकस की खोज कर डाली।

अब तक भारत, दक्षिणी अमेरिका, मेडागास्कर, अंटार्कटिका, चीन आदि देशों में डायनासोर की विभिन्न प्रजातियों के प्राणियों के जीवाश्म मिल चुके हैं तथा उनके वर्गीकरण आदि का कार्य प्रगति पर है।

☐

नई तसवीर

सन् 1878 की बात है। बेल्जियम के एक छोटे से गाँव में एक कोयले की खान से मजदूर कोयला खोदकर निकाल रहे थे। जब वे भूमि की सतह से 300 मीटर नीचे पहुँचे तो आगे रुकावट उत्पन्न हो गई। उन्हें लगा कि यहाँ पर कोयला नहीं कुछ और है।

उन्हें लगा कि शायद यहाँ पर सोना है, पर शीघ्र ही उनकी आशाओं पर तुषारापात हो गया और सोने के स्थान पर किसी जीवाश्म के दाँत मिले और साथ में हड्डियाँ भी थीं, पर वह जीवाश्म किसी सोने के खजाने से कम नहीं थे। वह वास्तव में इगुवांडन (डायनासोर की एक प्रजाति) का पूरा-का-पूरा जीवाश्म था, जिसकी कल्पना मेंडल ने पहले ही संसार के समक्ष रख दी थी। इस घटना ने बेल्जियम के विज्ञान जगत् को चौंका दिया। खनन विशेषज्ञों तथा वैज्ञानिकों के एक दल ने अगले पाँच वर्षों तक उस क्षेत्र की बड़े पैमाने पर खुदाई की और उस क्षेत्र से इगुवांडन के लगभग 40 से अधिक जीवाश्म प्राप्त किए। साथ में अन्य प्राणियों के जीवाश्म तथा पौधों के भी पुरावशेष मिले। ये सभी उसी काल के थे। विशेष बात यह थी कि इनमें से अनेक जीवाश्म लगभग पूर्ण अवस्था में थे।

अब बेल्जियम के युवा वैज्ञानिक लुइस डोलो (1857-1931) ने पूरे अध्ययन के पश्चात् डायनासोर की नई तसवीर दुनिया के समक्ष प्रस्तुत की। यह तसवीर रिचर्ड ओवन की काल्पनिक प्रस्तुति से भिन्न थी। अब तक यह माना जाता था कि इस प्राणी के सामने के पैर छोटे थे। साथ ही इसकी पूँछ भी थी। कुल मिलाकर यह माना जा रहा था कि यह एक विशालकाय कंगारू की भाँति रहा होगा।

इसके साथ ही वैज्ञानिक आपस में छींटाकशी करने लगे। लंदन के एक वैज्ञानिक थॉमस हेनरी हक्सली, जिन्होंने डार्विन के साथ भी काम किया था, ने रिचर्ड ओवन की अच्छी-खासी आलोचना कर डाली।

□

अन्य प्राणियों के साथ संबंध

डायनासोर के अन्य प्राणियों के साथ संबंधों पर बड़े पैमाने पर चर्चा होने लगी। उन्हीं दिनों पंखोंवाले प्राणी की भी चर्चा चली। जर्मनी में प्राप्त एक प्राणी के जीवाश्म में उसके पंखों का प्रमाण था। इसे लंदन लाया गया, पर यह वर्तमान में उपलब्ध पक्षियों से भिन्न था। इसके पंखों में तीन लंबी उँगलियाँ थीं। जबड़ों में दाँत थे और एक लंबी पूँछ भी थी।

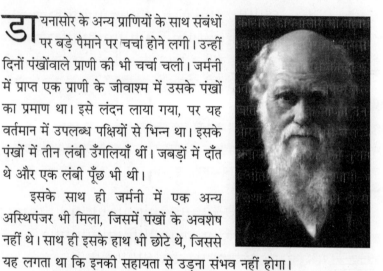

इसके साथ ही जर्मनी में एक अन्य अस्थिपंजर भी मिला, जिसमें पंखों के अवशेष नहीं थे। साथ ही इसके हाथ भी छोटे थे, जिससे यह लगता था कि इनकी सहायता से उड़ना संभव नहीं होगा।

इन जीवाश्मों ने तत्कालीन श्रेष्ठ वैज्ञानिकों का ध्यान अपनी ओर आकृष्ट किया और चार्ल्स डार्विन ने भी अपनी रचना 'ऑन दि ओरिजिन ऑफ स्पीशीज' में इसका उल्लेख किया था। यह रचना उस काल में संवेदनशील थी, क्योंकि इसने इस समय बाइबिल के उस सिद्धांत का खंडन किया था, जिसके अनुसार यह माना जाता था कि ईश्वर ने ही इस संसार की रचना की है तथा यह पूर्ण व अपरिवर्तनीय है। हक्सली ने शीघ्र ही इसका समर्थन कर दिया था।

इसके साथ ही डायनासोर व पक्षियों के बीच संबंधों की चर्चा प्रारंभ हो गई। डोलो ने इन संबंधों को स्पष्ट करने के लिए मगरमच्छों व पक्षियों के शरीरों की चीर-फाड़ करके दोनों के मध्य समानता की तलाश प्रारंभ कर दी। उद्देश्य

यह था कि उस समय रहस्यमय माने जानेवाले डायनासोरों की वास्तविक छवि तैयार करना। चूँकि जीवाश्मों में केवल कठोर ऊतक जैसी हड्डियाँ आदि ही रह जाती हैं और नरम ऊतक नष्ट हो जाते हैं। अत: उनका केवल अनुमान ही लगाया जाता है और जब अनेक जीवाश्मों का तुलनात्मक अध्ययन किया जाता है, तभी प्राणी की पूर्ण छवि का आभास हो पाता है।

डोलो का लक्ष्य बड़ा था। वे चाहते थे कि शरीर रचना के आधार पर तत्कालीन पारिस्थितिकी व प्राणी के व्यवहार का अनुमान लगाया जाए। अपने अध्ययनों के आधार पर उन्होंने अनुमान लगाया कि डायनासोर के काल में हर चीज विशाल थी और जिस प्रकार ऊँचाई से पत्ते आदि खाने के कारण जिराफ की गरदन लंबी हो गई है, उसी प्रकार डायनासोरों के काल में भी पेड़ आदि लंबे होते होंगे। इस कारण डायनासोर की जीभ न केवल लंबी थी वरन् सशक्त भी थी। उनकी चोंच मजबूत पेड़ के तनों को फोड़ने में सक्षम थी। उनके दाँत कठोर भोजन को चबाने में सक्षम थे।

डोलो की यह मान्यता कई दशकों तक प्रचलित रही, पर विज्ञान में कोई मान्यता लंबे समय तक ठहर नहीं पाती है। बीसवीं सदी के दूसरे दशक में पुरानी जानकारियों के विस्तार में ठहराव आया, पर नए सिरे से डायनासोर की अन्य प्रजातियों की खोज प्रारंभ हुई।

इस क्रम में ब्रॉन्टोसोइस, स्टेगोसोरस, ट्रिसेराटॉप्स, डिप्लोडोकस की खोज व पहचान हुई। इन डायनासोर के नाम इस प्रकार रखे गए, ताकि यह अनुमान लगाया जा सके कि इनके जीवाश्म पहले-पहल कहाँ मिले थे।

नए-नए नामों ने इस विषय में लोगों का कौतूहल बढ़ाया। इनकी अनुकृतियाँ से विभिन्न अजायबघरों की शोभा बढ़ती रही, पर वैज्ञानिक इनसे अधिक संतुष्ट नहीं थे। उन्हें लगता था कि अब कोई नया तथ्य सामने नहीं आ रहा है और यह कार्य उसी प्रकार आगे बढ़ रहा है, जैसे कि पुराने डाक-टिकटों व सिक्कों का संग्रह।

□

नव डार्विनवाद

उन्नीसवीं सदी में ही डार्विन के विकासवाद का सिद्धांत परवान चढ़ चुका था। हालाँकि इस सिद्धांत में अनेक लुप्त कड़ियाँ थी, जिन पर प्रकाश डालना संभव नहीं था, पर यह सबसे अच्छा सिद्धांत माना जाता था और इसका दूर-दूर तक विकल्प नहीं था, पर चर्च अधिकारी इसे मान्यता नहीं दे रहे थे। आज भी इस संबंध में कुछ-न-कुछ संघर्ष चलता ही रहता है।

डार्विन के ही एक समकालीन ग्रेगर मेंडल, जो चेकोस्लोवाकिया के एक ग्रामीण क्षेत्र में पादरी थे, ने अपने जीवन में हजारों प्रयोग करके आनुवांशिकता के सिद्धांत का प्रतिपादन किया था। उन्होंने अपने अनोखे अनुसंधान परिणामों को स्थानीय वैज्ञानिक सोसाइटी के सम्मुख पढ़ा और फिर उसकी प्रतियाँ तमाम तत्कालीन वैज्ञानिकों व विद्वानों को भेजी। इसमें से डार्विन भी एक थे, पर न तो डार्विन ने उसे पढ़ा और न ही अन्य तत्कालीन चोटी के वैज्ञानिकों ने। केवल नैगेली ने इसे पढ़ा, पर उन्होंने इसे माना नहीं, क्योंकि इस जर्मन वैज्ञानिक ने भी प्रयोग किए थे और उनके परिणाम अलग थे तथा इसका कारण था कि मेंडल ने मटर पर प्रयोग किए थे और वे संख्या में अधिक भी थे तथा परिणाम स्पष्ट थे,

जबकि नैगेली के प्रयोगों में मौलिक खामी थी।

वास्तविकता यह थी कि एक मामूली मठ के पादरी के वैज्ञानिक प्रयोगों के अद्भुत परिणाम किसी के लिए विश्वसनीय नहीं थे। 1866 में प्रकाशित परिणाम अगले 35 वर्षों तक लोगों की नजरों से ओझल रहे।

बीसवीं सदी के प्रारंभ में तीन अलग-अलग वैज्ञानिक जब उन्हीं नतीजों तक पहुँचे तो उन्होंने अब तक इस दिशा में किए गए अनुसंधानों को खँगालना प्रारंभ किया। उन्होंने पाया कि यह शोध परिणाम तो पहले ही प्रकाशित हो चुका है।

उन वैज्ञानिकों की मानसिक स्थिति कैसी होगी, इसका तो केवल अनुमान ही लगाया जा सकता है, पर मेंडल के कार्य को जब चार्ल्स डार्विन के विकासवाद के सिद्धांत से जोड़ा गया तो नव डार्विनवाद नामक नया सिद्धांत उभरकर आया और अनेक अधूरी कड़ियाँ प्रकाश में आ गईं। हालाँकि अब भी यह सिद्धांत ही रहा तथा नियम नहीं बन पाया।

1930 के दशक में लोगों को यह नया सिद्धांत मिला और इसमें डार्विन के विकासवाद के सिद्धांत में मेंडल की आनुवांशिकी उचित स्थान पर मिला दी गई थी। डार्विन ने यह माना था कि प्राणियों की विशेषताएँ अगली पीढ़ी में आती हैं, पर उनका यह मानना गलत है कि नर और मादा के गुणों का किसी भी आधार पर मिश्रण हो जाता है। मेंडल के सिद्धांत के आने के पश्चात् यह स्पष्ट हो गया कि प्राणियों के गुण एक निश्चित नियम के अंतर्गत अगली पीढ़ी में आते हैं। इसके लिए निश्चित व प्रमाणित गणितीय सूत्र सभी की समझ में आ गया।

इससे विज्ञान की एक नई शाखा का उदय हुआ, जो मोलिक्यूलर बायलॉजी या आण्विक जीव-विज्ञान कहलाई। 1953 में जब क्रिक और वाट्सन द्वारा विकसित डी.एन.ए. मॉडल सामने आया तो प्राणियों के व्यवहार के विकास तथा परिस्थितियों के विकास आदि के संबंध में नई-नई मान्यताएँ सामने आईं।

अब जीवाश्मों की जाँच नई दृष्टि से होने लगी। हालाँकि जीवाश्मों के अध्ययन मात्र से पूर्ण छवि नहीं उभरती है, पर फिर भी उस समय की परिस्थितियों के बारे में अनुमान लगाना सरल हो जाता है।

1970 के दशक में उपरोक्त अनुमान लगाने की प्रक्रिया का आरंभ हुआ। अब तक डार्विन व मेंडल के सिद्धांतों के आधार पर उपलब्ध व जीवित प्राणियों

के बारे में काफी ज्ञान विकसित हो चुका था। विभिन्न पुरानी प्रजातियों व नव विकसित प्रजातियों के बारे में भी काफी ज्ञान विकसित हो चुका था।

अब विभिन्न जीवाश्मों का भूगर्भ शास्त्र पैमाने पर समय के अनुसार लगाया जाने लगा। इससे नए-नए तथ्य सामने आने लगे, जैसे बड़े पैमाने पर अचानक प्राणियों का लुप्त हो जाना, इसके पश्चात् एक अवधि के बाद प्राणियों की प्रजातियों का नए सिरे से विकास आदि।

अब ऐसा लगने लगा कि हमारे प्राकृतिक विकास में समय-समय पर विराम आता रहा है। यह देखा गया कि प्राणियों का विकास एक सीमा तक होता है और फिर उसके पश्चात् संतुलन आ जाता है। संतुलन की अवधि बहुत लंबी होती है, इसमें धीमी गति से परिवर्तन होते हैं, पर उसके बाद एक अवधि में बहुत तेजी से परिवर्तन होते हैं। संतुलन की यह अवधि 'विराम अवधि' कहलाती है।

उपरोक्त नया सिद्धांत डार्विन के मूल सिद्धांत से भिन्न था, जिसके अनुसार प्राणियों में सतत परिवर्तन या विकास होता रहता है तथा गुणों का यह विकास श्रेष्ठतम की उत्तरजीविता के सिद्धांत पर होता है। श्रेष्ठ प्रजातियों को ही अपना वंश आगे बढ़ाने का अवसर मिलता है और कमजोर प्रजातियाँ समय के साथ नष्ट हो जाती हैं।

अब डायनासोर का अध्ययन नई दृष्टि से प्रारंभ हुआ और उसके बारे में ज्ञात तथ्यों का विवरण आगे के अध्यायों में दिया गया है।

□

उत्पत्ति गाथा

एक लंबी अवधि तक वैज्ञानिक यह मानते रहे कि डायनासोर वास्तव में अनेक वर्गों के प्राणी थे और उनका आपस में कोई संबंध नहीं था, पर अब लंबे अनुसंधानों के पश्चात् यह स्पष्ट हो चुका है कि यह प्राणियों का एक ही वर्ग था।

वास्तव में आज से लगभग 23 करोड़ वर्ष पूर्व अर्थात् ट्राइएसिक काल के मध्य या समाप्ति के समय आर्कोसोर नामक प्राणी वर्ग से डायनासोर की उत्पत्ति हुई। इस प्रकार यह कहा जा सकता है कि आर्कोसोर डायनासोर के पूर्वज थे, जैसे बंदर और वनमानुष मनुष्यों के पूर्वज थे।

उपरोक्त घटना उस महाविनाश के लगभग 2 करोड़ वर्षों के पश्चात् घटी थी, जो पार्मियन-ट्राइएसिक काल कहलाती है तथा इस महाविनाश ने पृथ्वी की जैव विविधता का 95 प्रतिशत भाग नष्ट कर दिया था

पुराजीव वैज्ञानिकों ने चट्टानों के नीचे दबे अवशेषों की जो रेडियो जाँच कराई है, उससे स्पष्ट है कि इथेराप्टर पहले-पहल उत्पन्न हुए थे, जो कि डायनासोर की पहली पीढ़ी कहे जा सकते हैं। इनके गुणों के आधार पर कहा जा सकता है कि डायनासोर की पहली पीढ़ी का आकार छोटा था और ये दो पैरों के सहारे ही चलते थे।

डायनासोर के पृथ्वी पर उत्पन्न होने से पूर्व पृथ्वी पर बेसल आर्कोसोर तथा थेराप्सिड आदि छाए हुए थे। उनकी अनेक प्रजातियाँ थीं, जैसे एरोसोर, साइनोडाँट्स, डिसाइनोडाँट्स, ऑर्मियो सुचिडस, रिकोसोर्स आदि। ट्राइएसिक काल में हुए दो-एक महाविनाशों में से अधिकांश लुप्त हो गए। लगभग डेढ़

करोड़ वर्षों की अवधि में डायनासोर के युग के सभी प्राणियों का समूल विनाश हो गया।

इसके बाद पृथ्वी पर क्रोकोडायलोमॉर्फ, डायनासोर, उसके बाद स्तनपायी जीवों, कछुओं आदि का साम्राज्य कायम हो गया। पहले यह माना जाता था कि डायनासोर उस काल के अन्य प्राणियों से बेहतर अर्थात् सशक्त थे, इसलिए उनका अस्तित्व बचा और उन्होंने अन्य प्राणियों से स्पर्धा में विजय प्राप्त करके अपना अस्तित्व बनाया, पर शीघ्र ही यह मान्यता गलत साबित हो गई, क्योंकि प्रारंभ में डायनासोर की संख्या व विविधता का विकास बहुत धीमी गति से हुआ और प्रारंभिक दौर में प्राणियों की कुल आबादी का मात्र 1–2 प्रतिशत हिस्सा ही उनका था।

पर जब उनके अन्य पूर्वजों का महाविनाश में विलोप हो गया, तब कुल प्राणियों की आबादी में उनका प्रतिशत 50 से 90 प्रतिशत तक हो गया। इससे यह भी स्पष्ट होता है कि अपने पूर्वजों की तुलना में वे वातावरण के अनुसार अपना बेहतर अनुकूलन कर पा रहे थे। इसका एक कारण यह भी था कि अन्य सरीसृप प्राणियों की तुलना में वे सीधे खड़े हो पाते थे और इस कारण उनकी गतिशीलता बेहतर थी।

इस काल में अर्थात् ट्राइएसिक काल के अंतिम दौर में पौधों के जीवन और समुद्री जीवन में व्यापक परिवर्तन हो रहे थे और जलवायु में भी भारी परिवर्तन हो रहे थे, चूँकि डायनासोर अपने पूर्वजों से अधिक भिन्न नहीं थे। अत: उनके अस्तित्व के बचाव में उनके भाग्य का योगदान अधिक माना जा सकता है और उनकी बेहतर स्थिति या शक्ति का कम। अनुसंधानों से यह भी स्पष्ट है कि उस काल में डायनासोर अधिक फैले। इसका एक कारण यह भी था कि तब फूलों वाले पौधों व वनस्पतियों की बहुतायत थी। तमाम शाकाहारी डायनासोर इनको अपना आहार बना रहे थे। उन्हीं दिनों अन्य शाकाहारी छोटे प्राणियों व स्तनपायी जीवों का तेजी से विकास हुआ था। साथ ही छिपकलियों, साँपों, घड़ियालों, पक्षियों की संख्या भी बढ़ी थी।

◻

कैसे थे डायनासोर

जैसा कि हम जानते है कि सर रिचर्ड ओवन ने पहले-पहल 1842 में 'डायनासोर' नामकरण किया था। उन्होंने डायनासोर शब्द का निर्माण दो ग्रीक शब्दों के आधार पर किया था। ये थे—डोनोस तथा सॉरस। 'डोनोस' का अर्थ होता है—भयानक, शक्तिशाली, आश्चर्यजनक; जबकि सॉरस का अर्थ है—छिपकली।

इस नामकरण का आधार तात्कालिक मान्यताएँ थी। उस समय वैज्ञानिक जगत् का मानना था कि ये छिपकली वर्ग के प्राणी विशालकाय अवश्य थे, पर ये अत्यंत धीमी गति से चलने, रेंगनेवाले, कम बुद्धि के तथा शीतल रक्तवाले प्राणी थे। 1970 के बाद हुए अनुसंधान ने इन मान्यताओं में से अनेक का खंडन कर दिया। इनके संबंध में नई-नई मान्यताएँ सामने आईं, जिनकी चर्चा आगे की जाएगी।

हालाँकि एक ही नाम 'डायनासोर' लोकप्रिय है, पर इस वर्ग के लगभग 1000 प्रकार के प्राणियों के बारे में जानकारियाँ मिल चुकी हैं। ये पृथ्वी के विभिन्न भागों में पाए जाते थे। इनमें से कुछ शाकाहारी थे और कुछ मांसाहारी। कुछ पिछले दो पैरों की सहायता से ही चल लेते थे और कुछ अपने चारों पैरों की सहायता

से चल पाते थे। इनकी मुद्राओं में भी भारी भिन्नता देखने को मिलती थी। इनके अस्थि-पंजर में भी विविधता देखने को मिलती है।

इनकी काया में भी विविधता थी। कुछ अति महाकाय थे। उनकी हड्डियों, सींगों आदि के अवशेषों से उनकी काया का आभास होता है, पर उनमें से अनेक मानव के आकार के थे और कुछ तो छोटे आकार के भी थे।

यह भी माना जाता है कि अनेक डायनासोर अपने लिए घोंसले का निर्माण करते थे और फिर अंडे भी देते थे। इस प्रकार वे आधुनिक पक्षियों के भी पूर्वज थे।

जैसा कि डायनासोर के नामकरण से ही स्पष्ट है कि इसका हर अंग भयानक रहा होगा। इसके दाँत, पंजे व अन्य अंग अति भयानक रहे होंगे। जब इसके अवशेष इतने विचित्र हैं तो प्राणी कितना विचित्र होगा, इसकी मात्र कल्पना ही की जा सकती है।

अनेक शब्दों या तथ्यों का पर्याय

आज विश्व का बच्चा-बच्चा डायनासोर से न केवल परिचित है वरन् इसमें रुचि भी रखता है। आज अनेक शब्दों या तथ्यों का वर्णन करने के लिए इसका उदाहरण दिया जाता है, जैसे—

पुराना या लुप्त : हर पुरानी व लुप्त हो चुकी वस्तु के बारे में विवरण देने हेतु डायनासोर का या तो उल्लेख होता है या उससे तुलना होती है।

विशाल : विशालकाय वस्तुओं या प्राणियों का उल्लेख करते समय भी डायनासोर का या तो वर्णन किया जाता है या उससे तुलना की जाती है।

धीमी गति से चलना या चलनेवाले : अति धीमी गति से चलनेवाले प्राणियों की तुलना भी डायनासोर से की जाती है।

विलुप्त होने की तीव्र संभावना : जिस व्यक्ति, तंत्र या वस्तु के निश्चित रूप से नष्ट या विलुप्त होने की संभावना हो, उसके लिए भी डायनासोर का उदाहरण दिया जाता है।

अव्यावहारिक : हर अव्यावहारिक व्यवस्था के लिए डायनासोर एक मिसाल के रूप में कार्य करता है।

असफल : असफल या असफलता के लिए डायनासोर का उदाहरण दिया

जाता है। हालाँकि यह निराधार है, क्योंकि डायनासोर वर्ग के प्राणियों ने लगभग 16 करोड़ वर्षों तक पूरी पृथ्वी पर एकच्छत्र राज किया था। अंततः वे अपना अस्तित्व बचाने में असफल ही रहे थे।

अनेक प्रकार के

जैसा कि पहले ही बताया जा चुका है कि डायनासोर लगभग एक हजार प्रजातियों के थे, पर मोटे तौर पर निम्न प्रजातियाँ अधिक चर्चा में आती हैं—

थेरोपोड : ये अधिकतर मांसाहारी थे और दो पैरों पर ही चलते थे।

सॉरोपोडोमॉर्फ : ये अति महाकाय थे, पर शाकाहारी थे। इनकी गरदन व पूँछ लंबी थी।

एंकीलोसॉरस : ये कवच युक्त थे और शाकाहारी थे। ये चारों पैरों से चलते थे।

स्टोगोसॉरस : इनके शरीर पर प्लेटें दिखाई देती थीं। ये शाकाहारी थे तथा चारों पैरों पर चलते थे।

सेराटोसियन : इन शाकाहारी चौपाया जीवों के सींग भी थे।

आर्निथोपोड : ये दो पैरों या चार पैरों पर चलनेवाले जीव थे।

पुरा जीव विज्ञानियों में इस बात पर पूर्ण सहमति है कि वर्तमान पक्षी वास्तव में थेरोपोड डायनासोरों के वंशज हैं। पुरा जीवविज्ञानी अधिकांशत: यह मानते हैं कि डायनासोर वास्तव में विलुप्त प्राणी नहीं हैं और पक्षियों के रूप में आज भी विद्यमान हैं, पर डायनासोर की अन्य प्रजातियाँ उड़ने में सक्षम नहीं थीं और जब भी डायनासोर की चर्चा होती है, उनका उल्लेख अधिक होता है।

□

सामान्य विवरण

न उड़ सकनेवाले डायनासोरों के बारे में भी सामान्य मान्यताएँ हैं— डायनासोर स्थलीय प्राणी थे तथा उनकी तुलना रेंगनेवाले सरीसृप प्रणियों से की जाती है। उनके अंग मुख्य धड़ के नीचे होते थे।

डायनासोर अनेक प्रकार के थे। जैसा कि पूर्व में बतलाया गया, इस संबंध में हुए अनुसंधान से ज्ञात हुआ है कि ये अनेक प्रकार के थे। वास्तव में डायनासोर की प्रजातियों का विकास भी उसी क्रम में हुआ था, जिस प्रकार बंदर और फिर वनमानुष से मनुष्य का विकास हुआ।

उस युग के अन्य प्राणी छोटे आकार के होते थे। उनका आकार आज की बिल्लियों जैसा होता था। उस समय का एक प्राणी अपेक्षाकृत बड़े आकार का होता था, जो 'रेपेनोमामस जाइगेंटिकस' के नाम से जाना जाता है, पर उसका भी वजन 12 से 14 किलोग्राम तक का ही होता था, लेकिन यह अन्य जीवों, जिनमें छोटे आकार के डायनासोर भी थे, को खा जाता था।

वास्तव में डायनासोर का इतना अधिक विवरण एकत्रित हो चुका है तथा उसमें इस कदर विविधता है कि डायनासोर की एक सामान्य छवि उभारना असंभव था। निश्चिय ही इन प्राणियों का अलग-अलग परिस्थितियों में विकास हुआ होगा।

उदाहरण के लिए, डायनासोर सिनापोमॉरफीस के बीच (पीठ) का हिस्सा कूबड़ की भाँति उठा होता था, पर अधिकांश डायनासोर उन सरीसृप प्राणियों, जैसे छिपकली आदि से भिन्न थे, क्योंकि उनके पैर धड़ के नीचे होते थे, जबकि छिपकली आदि रेंगनेवाले प्राणियों के पैर बाहर की ओर निकले होते थे।

अनेक डायनासोर स्तनपायी जीवों की भाँति सीधे खड़े होने में सक्षम थे। सीधे खड़े हो सकने के कारण वे गतिशील अवस्था में आसानी से साँस ले पाते थे और इस कारण उनमें अधिक दमखम था और उनकी गतिविधियाँ अन्य सरीसृप वर्ग के प्राणियों की तुलना में विस्तृत और विविधता पूर्ण थीं। एक अन्य तथ्य यह भी है कि जो प्राणी सीधा खड़ा हो सकता है, उसके आकार में बढ़ने की संभावना अधिक होती है। उनके शरीर के टेढ़े अंग धीरे-धीरे तनते चले जाते हैं।

□

आकार

डायनासोर का नाम सुनते ही मस्तिष्क में एक विशालकाय प्राणी की छवि उभर उठती है। वास्तव में डायनासोर भीमकाय थे।

इस निष्कर्ष पर पहुँचने के लिए वैज्ञानिकों ने लंबा अनुसंधान किया है। डायनासोर के बारे में अब तक अनेक जानकारियाँ उपलब्ध जीवाश्मों व अन्य चीजों से प्राप्त हुई हैं। हड्डियों के अतिरिक्त पंख, त्वचा के निशान व अंदरूनी अंगों व कोमल अंगों के बारे में भी विभिन्न स्रोतों से जानकारियाँ प्राप्त हो चुकी हैं। वैज्ञानिकों ने विभिन्न विषयों; भौतिकी, जैव यांत्रिकी, रसायन, जीव-विज्ञान, भूगर्भ शास्त्र आदि के ज्ञान का भरपूर उपयोग करते हुए डायनासोरों के जीवन के विभिन्न पहलुओं का आकलन किया है।

अपने काल में डायनासोर अन्य प्राणियों की तुलना में विशालकाय थे। डायनासोरों में सबसे बड़े आकार के प्राणी 'सोरोपोड' थे। वे अन्य उपलब्ध प्राणियों की तुलना में विशालकाय व भारी-भरकम थे। यदि हम आज के संदर्भ में तुलना करें तो जल, थल व नभ में सबसे बड़े आकार की प्राणी 'नीली व्हेल' है, जो कि सागर में वास करती है और यह अन्य मछलियों के विपरीत स्तनपायी है। नीली व्हेल का

अधिकतम भार 1,73.000 किलोग्राम तक होता है तथा इसकी अधिकतम लंबाई 30 मीटर तक होती है।

इसके विपरीत 1907-12 के मध्य तंजानिया में डायनासोर के जो अवशेष प्राप्त हुए, उनके आधार पर डायनासोर की एक अनुकृति तैयार की गई, जो कि बर्लिन स्थित हमबोल्ट संग्रहालय में प्रदर्शन हेतु उपलब्ध है। इस डायनासोर की अनुकृति की लंबाई 22.5 मीटर है तथा ऊँचाई लगभग 12 मीटर है। इसके भार के बारे में अनुमान है कि यह 30,000 से 60,000 किलोग्राम के मध्य होगा।

उपरोक्त के अतिरिक्त अमेरिका के व्योमिंग नामक स्थान में डायनासोर का जो अवशेष प्राप्त हुआ था, उसके आधार पर डायनासोर की एक अनुकृति तैयार की गई थी। यह पिट्सबर्ग स्थित 'कार्नेगी प्राकृतिक इतिहास संग्रहालय' में प्रदर्शन हेतु उपलब्ध है। इसकी लंबाई 27 मीटर है और इसे सबसे लंबा डायनासोर माना जाता है। चूँकि डायनासोरों सहित सभी प्राणियों के एक बहुत छोटे अंश के ही जीवाश्म बन पाते हैं और इनका भी एक अल्पांश ही वैज्ञानिकों का अध्ययन हेतु मिल पाता है तथा उनके कोमल अंगों व त्वचा की छाप के बारे में तो आधी-अधूरी जानकारी ही मिल पाती है, अतः पूरी अनुकृति तैयार कर पाना कल्पना पर आधारित कला ही है, पर फिर भी काफी हद तक अनुमान लगाए गए हैं। उपरोक्त वर्णित डायनासोर के पूरे ढाँचे के अतिरिक्त अनेक स्थानों पर डायनासोर के अस्थि-पंजर के टुकड़े भी मिले हैं। उनके आधार पर एक शाकाहारी डायनासोर प्रजाति आर्जेंटिनोसोरस का नमूना तैयार किया गया है, जिसके बारे में अनुमान है कि इसका भार 80000 से 1,00,000 कि.ग्रा. के बीच होगा।

इसी प्रकार खंडित अस्थि-पंजरों के आधार पर अनुमान है कि एक प्रजाति 'डिप्लोडोकस' की लंबाई 33.5 मीटर तथा 'सुपरसॉरस' की लंबाई 33 मीटर रही होगी। इसी प्रकार के अनुमान डायनासोर की ऊँचाई के बारे में लगाए गए हैं। 'सॉरोपोजीडॉन' की ऊँचाई के बारे में अनुमान है कि यह 18 मीटर रही होगी और यह खड़े होकर एक छह मंजिली इमारत की खिड़की के अंदर झाँक सकता होगा। एक अन्य डायनासोर की एक उपलब्ध हड्डी के आधार पर अनुमान लगाया गया है कि इस प्रजाति का नाम 'एंफीकोलिमस फ्रैगीलियम' है और

इसकी अनुमानित लंबाई 58 मीटर है तथा भार 1,20,000 किलोग्राम रहा होगा। एक भीमकाय डायनासोर के बारे में अनुमान है कि यह 2,20,000 किलोग्राम वजन का होगा।

पर सभी डायनासोर इतने लंबे, ऊँचे या भारी नहीं थे। थेरोपोड डायनासोर 100 किलोग्राम से 1000 किलोग्राम तक के थे। अनेक मांसाहारी डायनासोर 16 से 18 मीटर तक लंबे थे और उनका भार 8,150 कि.ग्राम तक था। साथ ही अनेक अत्यंत छोटे आकार के डायनासोर भी थे। कुछ तो कबूतर के आकार के भी थे। कुछ का ढाँचा मात्र 35 सेंटीमीटर लंबा था और भार मात्र 110 ग्राम था।

शाकाहारी डायनासोर मांसाहारी डायनासोर की तुलना में लंबे, ऊँचे तथा भारी थे। उदाहरण के तौर पर सबसे छोटे मांसाहारी डायनासोर की लंबाई एक फीट थी, ज़बकि शाकाहारी की दो फीट। विशालकाय डायनासोरों का पाचन तंत्र बेहतर होता था और कम पोषक तत्त्वों वाले भोजन से भी उनका गुजारा अच्छी तरह हो जाता था, क्योंकि भोजन उनके शरीर में देर तक रहता था। वे दीर्घजीवी होते थे और शिकारी जीवों से बच जाते थे।

डायनासोर के आकार की तुलना इस आधार पर की जा सकती है कि उस काल में (अंतिम दौर में) स्तनपायी जीव विकसित तो हो गए थे, पर वे छोटे और हलके थे तथा उनका भार मात्र दो से पाँच किलोग्राम तक ही होता था।

◻

पैर, सिर, हृदय व फेफड़े

डायनासोर आखिर सर्वाधिक लोकप्रिय विलुप्त प्राणी है। इस कारण उसके अंगों के बारे में अनुसंधान व गहन चिंतन होता है। प्राप्त सूचनाओं के आधार पर यह माना जाता है कि डायनासोर के पैर सीधे व खंभे जैसे होते थे। वे छिपकली वर्ग के प्राणियों की भाँति नहीं थे, जिनके पैर बाहरी निकले होते हैं और इस कारण वे रेंगने के लिए मजबूर होते हैं। इस आधार पर डायनासोर के बारे में आगे और कल्पनाएँ करना सरल है। वास्तव में जिन प्राणियों के पैर डायनासोर की भाँति होते हैं, वे तेजी से दौड़ लेते हैं। उदाहरण के लिए घोड़े, गाय आदि तेजी से दौड़ लगा लेते हैं, पर जो प्राणी तेजी से दौड़ लेते हैं, उनके शरीर में गतिशीलता हेतु उचित व्यवस्था भी होती है। दूसरी ओर दूसरे प्रकार के प्राणी, जैसे मगरमच्छ, ड्रैगन आदि थोड़ी देर के लिए तो बहुत तेजी से दौड़ लेते हैं तथा झपट्टा मारकर मनुष्य या अन्य जीवों को दबोच लेते हैं, पर वे लंबी दौड़ नहीं लगा पाते हैं और एक सीमा तक गतिविधि के पश्चात् उन्हें विश्राम करना पड़ता है, ताकि उनकी मांसपेशियाँ पूर्व स्थिति में आ सकें। थोड़ी ही दूरी तक दौड़ने में इन प्राणियों की मांसपेशियों में ऑक्सीजन की कमी आ जाती है, जिसे ये सुस्ताकर पूरी कर पाते हैं।

दूसरी ओर घोड़े, गाय आदि लंबी दूरी तक दौड़ लगा लेते हैं, क्योंकि उनका रक्तचाप अधिक होता है और उनके फेफड़े उनके शरीर के हर अंग में ऑक्सीजन की आपूर्ति बनाए रखते हैं। डायनासोर में भी कुछ ऐसी ही व्यवस्था होगी।

दो पैरों व चार पैरों के सहारे

अनेक प्राणी दो पैरों के सहारे चल लेते हैं। लगभग सभी पक्षी, अनेक स्तनपायी जीव, जैसे मनुष्य तथा अनेक डायनासोर दो पैरों के सहारे ही चलते थे। ऐसे प्राणियों की मुद्रा भी अलग प्रकार की होती है और उनके शरीर में रक्त प्रवाह की व्यवस्था भी एक जैसी होती है। दूसरी ओर गाय, भैंस तथा कुछ अन्य प्रकार के डायनासोर चार पैरों के सहारे से ही चल पाते थे। चार पैरों से चलने में लाभ यह है कि शरीर में संतुलन बना रहता है, दो पैरों से चलनेवाले मूलत: असंतुलन के शिकार होते हैं, पर वे इसलिए सफलतापूर्वक चल लेते हैं, क्योंकि उनके शरीर में सेंसर होते हैं, जो संतुलन के प्रति अति संवेदनशील होते हैं तथा असंतुलन की स्थिति उत्पन्न होते ही अन्य अंगों के साथ समन्वय स्थापित कर लेते हैं। इस प्रक्रिया में मस्तिष्क व केंद्रीय तंत्रिका तंत्र अहम भूमिका निभाते हैं। साथ ही इनकी मांसपेशियाँ भी इस प्रकार की होती हैं कि वे बहुत तेजी से प्रतिक्रिया करके नियंत्रण कायम कर लेती हैं तथा संतुलन बना रहता है।

उपरोक्त संतुलन बनाने हेतु गतिशील प्रतिक्रिया के पीछे मस्तिष्क की भूमिका सर्वाधिक महत्त्वपूर्ण होती है, जो निरंतर क्रियाशील रहता है तथा असंतुलन की स्थिति में अति तीव्रता व क्षमता के साथ कार्य करता है। मस्तिष्क को सतत क्रियाशील बनाए रखने के लिए अनिवार्य है कि शरीर में भोजन, ताप व ऑक्सीजन की निरंतर आपूर्ति होती रहे। ऐसी व्यवस्था स्तनपायी जीवों व पक्षियों में ही होती है। सरीसृप वर्ग के प्राणी एक सीमा तक गतिविधि करने के पश्चात् सुस्त से पड़

जाते हैं, क्योंकि उनके मस्तिष्क में पोषक तत्त्वों का अभाव हो जाता है और जब यह अभाव पूरा होता है, तभी ये प्राणी दोबारा सक्रिय हो पाते हैं। खासतौर से सर्दी में इस वर्ग के प्राणी अकसर सुस्त पड़े रहते हैं, क्योंकि ताप की तो कमी होती ही है, भोजन की भी कमी हो जाती है।

मुद्रा भी महत्त्वपूर्ण

प्राणियों की गतिविधियों में उनकी मुद्रा भी महत्त्वपूर्ण भूमिका निभाती है। उदाहरण के तौर पर अधिकांश स्तनपायी जीवों, पक्षियों व डायनासोरों में भी सिर शरीर के शेष अंगों से ऊपर होता है। यह वास्तव में हृदय से ऊपर तो होता ही है, इससे प्राणियों की शरीर क्रिया भी प्रभावित होती है। हृदय ऊपर की ओर अर्थात् सिर की ओर रक्त पंप करता है। इसके लिए वह उच्च दबाव पर रक्त पंप करता है, पर अन्य अंगों के लिए वह इस दबाव पर रक्त पंप नहीं करता है। इस कारण स्तनपायी जीवों व पक्षियों के हृदय में अलग-अलग चैंबर होते हैं। इससे शरीर के अलग-अलग भागों में अलग-अलग दबाव पर रक्त पंप किया जा सकता है। दूसरी ओर सरीसृप वर्ग के प्राणियों यथा छिपकली, साँप आदि में शरीर के सभी अंग लगभग एक सी ऊँचाई पर ही होते हैं और हृदय एक से दबाव पर सभी के लिए रक्त पंप करता है। इससे इन प्राणियों को अपने तरीके से लाभ होता है। उदाहरण के लिए इस वर्ग के प्राणी ठंड में सूर्य के ताप को पाने के लिए लेटे रहते हैं। उनका हृदय रक्त को पंप करता है कि यह निरंतर त्वचा के हर भाग में पहुँचता रहे। इस प्रकार त्वचा के माध्यम से प्राप्त ताप पूरे शरीर में विचरण करता है, पर ये प्राणी अचानक लंबे समय तक अति तीव्र गति से गतिविधि नहीं कर पाते हैं, क्योंकि उनके शरीर में उच्च दबाव पर रक्त प्रवाह की व्यवस्था नहीं होती है।

निश्चय ही डायनासोर के शरीर के अंगों की व्यवस्था स्तनपायी जीवों व पक्षियों जैसी थी। वे अपने समय में विविध प्रकार के करतब अवश्य दिखलाते होंगे, पर सभी प्रकार के डायनासोर ऐसे ही होते होंगे, यह नहीं माना जा सकता। क्योंकि डायनासोर की रीढ़ की हड्डी की व्यवस्था, फेफड़ों के लिए गुहा (कैविटी) में विविधता देखी गई है।

□

परिस्थितियों के आधार पर शरीर

अकसर हम प्राणियों की संरचना, उनकी गतिविधियों, उनके भोजन आदि पर विचार करते हैं तो पाते हैं कि उनमें भारी भिन्नताएँ होती हैं। कुछ प्राणी बहुत ज्यादा खाते हैं। कुछ प्राणी खाते तो कम हैं, पर नुकसान अधिक करते हैं।

यदि कुल मिलाकर देखा जाए तो ज्ञात होता है कि गरम खूनवाले प्राणी प्रकृति के लिए अधिक महँगे होते हैं। स्तनपायी जीवों व पक्षियों के भोजन का 80 प्रतिशत उनके शरीर को गरम रखने में व्यय हो जाता है। दूसरी ओर ठंडे खून वाले प्राणियों में उस प्रकार का व्यय मात्र 10 प्रतिशत ही होता है।

उपरोक्त आधार पर प्रकृति से प्राणियों में संतुलन स्थापित होता है। शिकारी प्राणी और शिकार प्राणियों की संख्या इसी के अनुरूप होती है।

अति प्रारंभिक काल, जैसे पैलेजोइक काल में सरीसृप वर्ग के प्राणियों की बहुतायत थी। बीच के काल, जैसे मीसोजोइक काल में डायनासोर की पृथ्वी पर भरमार थी। बाद के काल अर्थात् सीनोजोइक काल में स्तनपायी जीवों की अधिकता या आधिपत्य हो गया। वास्तव में पैलेजोइक काल में शिकारी प्राणियों व शिकार प्राणियों की संख्या एक जैसी थी। डायनासोर के युग में डायनासोर व शिकार वर्ग के प्राणियों की संख्या का अनुपात कम हुआ। आधुनिक काल में शिकारी वर्ग वास्तव में स्तनपायी वर्ग है और इनकी संख्या अपेक्षाकृत कम है। इनके अस्तित्व को बचाए रखने के लिए शिकार वर्ग के प्राणियों की संख्या काफी अधिक है।

पर यह भी सत्य है कि अनेक विद्वान्, उपरोक्त जो ऐसे आँकड़ों पर आधारित हैं, जिनकी पुष्टि नहीं की जा सकती पर प्रश्नचिह्न लगाते हैं। यह मान्यता आकर्षक अवश्य लगती है।

इस संबंध में एक आधार यह भी है कि इस समय सरीसृप वर्ग के प्राणियों का यदि विश्लेषण किया जाए तो हम पाएँगे कि शिकारी वर्ग के प्राणियों की संख्या शिकार वर्ग के प्राणियों की तुलना में मात्र 10 प्रतिशत है। आगे विश्लेषण चल रहा है।

प्रवासी डायनासोर

अपने भोजन की तलाश में डायनासोर दूर-दूर तक की यात्रा कर लेते थे। उत्तरी अमेरिका, ऑस्ट्रेलिया, अंटार्कटिका, क्रेटासियस काल में ध्रुवीय क्षेत्र में थे। वहाँ पर गरम खूनवाले डायनासोर ही अपना अस्तित्व बचा पाते थे। आज भी हम पाते है कि ठंडे खूनवाले प्राणियों की संख्या इन इलाकों में कम होती है।

अनेक स्थानों पर ऐसे पेड़ या वनस्पतियाँ होती हैं, जिनके पत्ते सर्दियों में लुप्त हो जाते हैं, तब शाकाहारी डायनासोर ऐसे क्षेत्रों में चले जाया करते हैं। जहाँ पर उन्हें पर्याप्त भोजन मिल जाता था।

साथ ही इससे एक बात और स्पष्ट होती है कि कुछ इलाकों में डायनासोर के जीवाश्मों की अधिकता यह भी स्पष्ट करती है कि वे क्षेत्र किसी मौसम में

डायनासोर के लिए अधिक अनुकूल थे।

आज प्रवासी पक्षियों के बारे में गहन अध्ययन होता है। डायनासोर ने करोड़ों वर्ष पूर्व ही प्रवास की परंपरा प्रारंभ कर दी थी। उनके लिए 'वसुधैव कुटुंबकम' की कहावत चरितार्थ होती है।

☐

रक्त ठंडा या गरम

जब डायनासोर के अस्तित्व की पुष्टि हुई तो प्रारंभ में उन्हें ठंडे खून वाला लिजलिजा छिपकली जैसा प्राणी माना गया था, पर शीघ्र ही डायनासोर के खून के बारे में मान्यताएँ बदलने लगीं। थॉमस हक्सली ने अपनी अवधारणा में स्पष्ट किया है कि डायनासोर और पक्षी एक दूसरे से संबंधित हैं, क्योंकि उनके शरीरों की रचना में खासी समानताएँ हैं। उन्होंने माना कि वर्तमान पक्षियों के पूर्वज डायनासोर ही थे। इसी बीच जीवाश्मों के अध्ययन के आधार पर उस काल की जलवायु का आकलन प्रारंभ हुआ। यह माना जाने लगा कि स्तनपायी जीव तथा पक्षी पूरे संसार में इसलिए रह लेते हैं, क्योंकि उनके शरीर में जलवायु के अनुकूल अपने आपको ढाल लेने की व्यवस्था होती है। वे भूमध्य रेखा में भी रह लेते हैं और ध्रुवीय प्रदेशों में भी अपना अस्तित्व बचा लेते हैं।

उनकी तुलना में छिपकलियाँ, साँप, मगरमच्छ आदि एक जैसी जलवायु (गरम) में ही रह पाते हैं, क्योंकि इनके शरीर में जलवायु के अनुसार अपनी व्यवस्था बदलने की क्षमता नहीं होती है। चूँकि डायनासोर पूरे संसार में हर जगह पाए जाते थे, अत: उनके शरीर में जलवायु के अनुकूल अपने आपको बनाने की व्यवस्था अवश्य रही होगी।

यह माना जाता है कि ट्राइएसिक काल के अंत में तथा जुरासिक काल के प्रारंभ में पृथ्वी पर पहले पहल स्तनपायी जीवों का अस्तित्व प्रारंभ हुआ। डायनासोर उससे पहले से ही इस पृथ्वी पर थे। वे पूरे संसार में फैले थे और उनमें व्यापक विविधता थी। डायनासोर स्तनपायी जीवों के अस्तित्व में आने के लंबे समय बाद तक इस संसार में रहे और 16 करोड़ वर्षों तक डायनासोरों व स्तनपायी जीवों को एक साथ रहना पड़ा।

आज हम देखते हैं कि स्तनपायी जीव व पक्षी तीव्र गति से विचरण करते हैं। वे बहुत तेजी से अपने आपको परिस्थिति के अनुकूल ढाल लेते हैं और काफी हद तक वे बुद्धिमान होते हैं। वे अपना अस्तित्व इसलिए बचा लेते हैं, क्योंकि उनके शरीर की क्रियाविधि ऐसी है। उनके शरीर की मेटाबोलिक दर ऊँची है। उनके शरीर के रक्त का तापमान अधिक है और वह काफी हद तक निश्चित व नियंत्रित रहता है। उनकी तुलना में सरीसृप वर्ग के प्राणी, जैसे छिपकली, साँप आदि का अस्तित्व जलवायु पर निर्भर करता है। इसके बदलने से न केवल इनकी गतिविधियाँ बाधित हो जाती हैं वरन् इनका अस्तित्व ही खतरे में पड़ जाता है। उनके शरीर के मेटाबोलिज्म की दर भी कम है। अपने शरीर को गरम बनाए रखने

हेतु वे बाहरी ताप स्रोत पर निर्भर करते हैं।

यही कारण है कि स्तनपायी जीव विविध व जटिल प्रकार की गतिविधियाँ कर लेते हैं तथा उनका मानसिक विकास भी हो गया है। शायद यही कारण है कि स्तनपायी जीव, जो पृथ्वी पर देर से अस्तित्व में आए पर तीव्र गति से विकसित हुए। उनका आकार भी बढ़ा और विविधता भी।

दूसरी ओर डायनासोर का पहले आधिपत्य छिना और फिर अस्तित्व ही मिट गया, पर फिर भी वैज्ञानिक अभी तक यह मानने को तैयार नहीं हैं कि डायनासोर ठंडे खूनवाले छिपकली जैसे प्राणी थे।

अनेक वैज्ञानिकों—रॉबर्ट टी. बाकर ने एक परिकल्पना संसार के समक्ष रखी, जिसके अनुसार डायनासोर भी गरम खून वाले प्राणी थे। उनके शरीर के रक्त को जलवायु के अनुसार, एक से तापमान पर बनाए रखने की व्यवस्था उनके शरीर में थी। इस परिकल्पना को एक आधार तब मिला, जब अंटार्कटिका, ऑस्ट्रेलिया में डायनासोरों के जीवाश्म मिले। आज सभी मानते हैं कि अंटार्कटिका में अत्यंत ठंड पड़ती है और 6 महीने तक वहाँ सूर्य दिखाई ही नहीं देता है। हालाँकि केवल इस आधार पर

उन्हें गरम खूनवाला कह देना संभव नहीं है, क्योंकि यह भी स्पष्ट हो चुका है कि आज महादेशों की जो स्थिति है, वह प्राचीन काल में नहीं थी। एक समय भारत व अंटार्कटिका पड़ोसी थे और अंटार्कटिका में ऐसे प्राणियों के अवशेष मिले हैं, जो आमतौर पर गरम देशों में पाए जाते हैं। वैज्ञानिकों ने डायनासोर के अस्थि-पंजरों के अध्ययन के आधार पर यह भी मान लिया कि कुछ डायनासोर में अपने शरीर को वातावरण के अनुसार ढालने की क्षमता थी, जबकि कुछ में यह क्षमता नहीं थी।

वास्तव में अन्य प्राणियों में यह व्यवस्था अनेक आधारों पर कार्य करती है। छोटी चिड़ियों, स्तनपायी जीवों में वसा, फर, पंख आदि के जरिए शरीर के अंदर के तापमान को स्थिर बनाए रखने का प्रबंध होता है। ये शरीर के अंदर के ताप को

बाहर नहीं आने देते हैं। बड़े प्राणियों, हाथी के मामले में, उनकी त्वचा का क्षेत्रफल तथा उनके शरीर केआयतन का अनुपात कम होता है। इससे त्वचा के माध्यम से अपेक्षाकृत कम ताप ही बाहर निकल पाता है।

अनेक प्राणी मौसम के अनुकूल अपने शरीर को ढालने हेतु अपनी विशेष आदतें विकसित कर लेते हैं। उदाहरण के लिए, भैंसें लंबे समय तक तालाब या पोखर में लेटी रहती हैं। हाथी अपने शरीर पर सूँड़ की सहायता से पानी छिड़कता रहता है। कुत्ता जीभ बाहर लटकाकर घूमता है, जिससे उसके अंदर का ताप जीभ के माध्यम से बाहर निकलता है। निश्चित रूप से डायनासोर भी कुछ ऐसा ही करते होंगे। बड़े डायनासोर की त्वचा का क्षेत्रफल उनके शरीर के आयतन की तुलना में कम होता था और इसके कारण उनके शरीर का ताप ज्यादा बाहर नहीं आ पाता होगा, पर इस मान्यता पर प्रश्नचिह्न भी हैं। अनेक डायनासोर कुत्ते या बकरी के आकार के थे। आखिर उनके अंदर किस प्रकार की व्यवस्था होती होगी! इसी प्रकार बड़े आकार के डायनासोर के बच्चों का क्या होता होगा, जो कि छोटे आकार के होते होंगे, संभवत: उनकी माताएँ उनके लिए चंद विशेष उपाय करती होंगी। पर चूँकि डायनासोर का पृथ्वी पर लंबे समय तक आधिपत्य रहा था, अत: इतना तो स्पष्ट है कि उनके अंदर उपयुक्त व्यवस्था अवश्य रही होगी।

□

मस्तिष्क का आकार

डायनासोर के बारे में जो प्रारंभिक विवरण उभरा था, उसके अनुसार डायनासोर बड़ी-बड़ी आँखोंवाला प्राणी था, जो बहुत तेजी से दौड़ लेता था। इस बात की पुष्टि उनके अस्थि पंजर को देखकर होती है, क्योंकि उसके अंगों के बीच का अनुपात और सामान्य डील-डौल इस प्रकार का था। इसके अतिरिक्त उसकी अत्यंत कड़ी व पतली होती जाती पूँछ थी।

उसके पंजे बड़े व मजबूत थे, जिससे शिकार का छूटना कठिन था। लंबी पूँछ के कारण उसके लिए अपना संतुलन बनाना आसान था। निश्चय ही वह बंदरों की भाँति तेजी से अपना संतुलन बना लेता होगा। बंदर एक ओर पूँछ करके दूसरी और झुक या झूल जाते हैं।

डायनासोर तेजी से शिकार पर झपटा मारा करते थे और पंजे में आ जाने के पश्चात् शिकार असहाय हो जाता था। मंगोलिया से प्राप्त उपरोक्त डायनासोर का अस्थि-पंजर अपनी कहानी अपने आप कहने में सक्षम है।

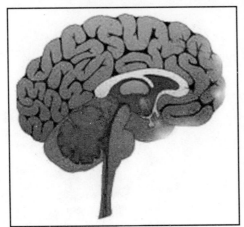

वास्तव में डायनासोर से प्राप्त अस्थि-पंजर अलग-अलग प्रकार की कहानियाँ सुनाते हैं, एक अन्य स्थान पर डायनासोरों के दो अस्थि-पंजर मिले हैं, जो एक-दूसरे से बुरी तरह

लड़ रहे थे और इसी बीच धूल भरी आँधी आई, जिसमें वे मारे गए। एक डायनासोर ने दूसरे का सिर अपने लंबे हाथों में दबोच रखा था और दूसरे ने उसके गले पर भरपूर प्रहार किया था। दोनों ही डायनासोर शाकाहारी थे।

उपरोक्त बातें यह दरशाती हैं कि डायनासोर वास्तव में आधुनिक उन्नत प्राणियों की भाँति ही उन्नत, गतिशील व क्रियाशील थे। वे दो पैरों पर भी चल लेते थे तथा बुद्धिमान भी थे। उनकी तुलना में आज के सरीसृप वर्ग के प्राणी अत्यंत छोटे व कमजोर मस्तिष्कवाले होते हैं।

बड़े मस्तिष्क की संरचना जटिल होती है तथा उसमें भोजन, ऑक्सीजन व ताप की निरंतर आपूर्ति अनिवार्य होती है।

सरीसृप वर्ग के प्राणियों के मस्तिष्क में भोजन व ऑक्सीजन की आपूर्ति तो होती रहती है, पर ताप की आपूर्ति नहीं हो पाती है। प्रकृति में चौबीस घंटे तापमान बदलता रहता है और ये प्राणी कम तापमान पर निष्क्रिय या सुन्न से हो जाते हैं।

अब तक की चर्चा यह बतलाती है कि डायनासोर में अधिकांश का मस्तिष्क उसी अनुपात का होता था, जिस अनुपात का सरीसृप वर्ग के प्राणियों का होता था। अनेक डायनासोर का मस्तिष्क शरीर की तुलना मे विकसित होता था तथा वे अतिसक्रिय होते थे और दो पैरों के सहारे चल लेते थे।

□

व्यवहार

प्रा प्त अवशेषों के आधार पर डायनासोर के आकार व भार का अनुमान लगाना अपेक्षाकृत सरल है, पर उनके व्यवहार आदि का आकलन एक अत्यंत दुष्कर कार्य है, फिर भी वैज्ञानिकों ने डायनासोर की अस्थियों के जीवाश्मों की मुद्राओं, उनके निवासों व उनके शरीर के अंगों के आधार पर जैव यांत्रिकी सिमुलेशन (अनुकार), जो कंप्यूटर के प्रयोग से सरल व आकर्षक हो गया, के आधार पर उनके व्यवहार का अनुमान लगाया है। वैज्ञानिकों ने वर्तमान प्राणियों के उस परिस्थिति में हो सकने वाले व्यवहार की भी कल्पना की है। यह भी माना जा सकता है कि डायनासोर के व्यवहार के संबंध में कल्पना अधिक है और इस कारण भविष्य में इस पर समय-समय पर विवाद उत्पन्न होने की संभावनाएँ अधिक हैं। साथ ही यह भी माना जा सकता है कि डायनासोर के निकटस्थ संबंधी, जो अभी उपलब्ध हैं यथा घड़ियाल, पक्षी आदि के व्यवहार के आधार पर अभी भी काफी सीमा तक सटीक कल्पनाएँ की जा सकती हैं।

समूह में रहना

यह अनुमान है कि डायनासोर समूह में रहा करते थे। इसका एक प्रमाण यह है कि बेल्जियम में एक स्थान पर 31 डायनासोर के अवशेष मिले हैं। ऐसा लगता है कि वे एक बड़े गहरे गड्ढे में डूब गए और मर गए।

अनेक स्थानों पर डायनासोर के पदचिह्न मिले हैं, जिनके अध्ययन से यह ज्ञात होता है कि डायनासोर खासतौर से शाकाहारी डायनासोर सैकड़ों ही नहीं, हजारों की संख्या में एक स्थान से दूसरे स्थान की यात्रा करते थे। यही नहीं,

अनेक प्रजातियों के डायनासोर एक साथ चलते थे। यह भी माना जा सकता है कि डायनासोर आज के प्रवासी पक्षियों की भाँति आवास बदलते थे। झुंड में रहने से उनकी सुरक्षा भी बनी रहती थी और शिशु भी सुरक्षित रहते थे। मंगोलिया के एक स्थान के अध्ययन से ज्ञात हुआ है कि एक से सात वर्ष की आयु के डायनासोर दलदल में फँस जाने के कारण मर गए थे। केवल शाकाहारी डायनासोर ही समूह में रहना पसंद नहीं करते थे। प्रमाणों के अनुसार, मांसाहारी डायनासोर भी समूह में ही रहते थे। संभवत: समूह में रहने से उन्हें बड़े शिकार को कब्जे में लेना आसान होता होगा।

इस तथ्य पर आश्चर्य भी होता है, क्योंकि डायनासोर के वर्तमान संबंधी, जैसे घड़ियाल व अन्य सरीसृप प्राणी इस प्रकार का व्यवहार नहीं करते हैं।

❑

बच्चों की देखभाल

डायनासोर मादाएँ अपनी नवजात संतानों की देख-रेख लंबे समय तक करती थीं। वे अच्छी माताएँ कही जा सकती हैं, क्योंकि संतान की देख-रेख हेतु वे सुचारु व्यवस्था करती थीं। बच्चों की देख-रेख व परवरिश आदि भी समूह में होती थी। मादा डायनासोर अपने अंडों की सुरक्षा व उन्हें गरम रखने के लिए तरह-तरह के इंतजाम करती थीं। जो डायनासोर पंखवाले थे, वे पंखों का उपयोग इस कार्य हेतु करते थे।

आज छोटे बच्चों की देख-रेख हेतु क्रेच व्यवस्था होती है। आमतौर पर कामकाजी महिलाएँ अपने बच्चों को दैनिक देख-रेख हेतु क्रेच में छोड़कर जाती हैं, जहाँ एक महिला सारे बच्चों की देख-रेख करती है। कई स्थानों पर बारी-

बारी से इस प्रकार की देख-रेख की व्यवस्था होती है। सप्ताह या महीने में एक महिला की एक या दो बार बारी आती है और वह सभी की देख-रेख करती हैं। कुछ ऐसी ही व्यवस्था डायनासोर में भी थी, क्योंकि एक स्थान पर एक वयस्क तथा 34 शिशु डायनासोर के अवशेष मिले हैं। ये शायद किसी दुर्घटना में एक साथ मारे गए होंगे। छोटे डायनासोर को उसी प्रकार भोजन कराया जाता था, जिस प्रकार चिड़िया अपने बच्चों की चोंच में दाना डालती है।

अनेक स्थानों पर उन पथों की पहचान हुई है, जिन पर डायनासोर अपने अंडों या शिशुओं को लेकर आते थे। शायद ऐसा वे सुरक्षा कारणों से करते होंगे। वे अपने बच्चों को विभिन्न कार्य उसी प्रकार सिखाते थे, जैसे चिड़िया अपने बच्चों को सिखाती है। अनेक डायनासोर आक्रामक स्वभाव के होते होंगे। यह इस बात से स्पष्ट है कि अनेक डायनासोर के जीवाश्मों के सिर घायल मिले हैं। डायनासोर के कुछ अंग कमजोर होते थे और इस कारण वे जल्दी टूट जाते थे। वे उन अंगों का प्रयोग केवल यौन क्रिया में या विपरीत लिंग को आकर्षित करने में ही करते थे।

अफ्रीका की गोबी रेगिस्तान में ऐसे जीवाश्म मिले हैं, जिनसे यह स्पष्ट होता है कि अनेक डायनासोर एक-दूसरे पर घातक प्रहार करते थे और इस कारण किसी के शरीर पर घाव हो जाते थे तो किसी के शरीर पर दाँत काटने के निशान पड़ जाते थे।

अलग-अलग प्रकार के डायनासोर का व्यवहार मिला है। कुछ पेड़ पर चढ़ जाते थे। कुछ जमीन पर ही चलते थे। शाकाहारी डायनासोर का व्यवहार मांसाहारियों से भिन्न था।

डायनासोर किस प्रकार एक-दूसरे से संवाद करते थे, इस संबंध में कोई जानकारी उपलब्ध नहीं है। यह स्पष्ट है कि वे अनुनाद प्रक्रिया का उपयोग करके विभिन्न प्रकार की ध्वनियाँ निकाल लेते थे।

डायनासोर द्वारा की जानेवाली यौन प्रक्रिया की जानकारी नहीं के बराबर है। इसी प्रकार विभिन्न क्षेत्रों पर कब्जा करने व कब्जा बनाए रखने के संबंध में भी जानकारियाँ नहीं के बराबर हैं। चूँकि वे अधिकांश स्थल इलाकों में ही विचरण करते थे, इसलिए वैज्ञानिकों ने उनके चलने-फिरने को दरशाने हेतु अपने मॉडल तैयार किए हैं और इसमें जैव यांत्रिकी के ज्ञान का भरपूर उपयोग किया

गया है। उनकी मांसपेशियों व शरीर के गुरुत्वाकर्षण संबंधी संतुलन के बारे में भी विस्तृत अनुमान लगाए गए हैं—वे कितना तेज दौड़ पाते होंगे, अपनी पूँछ का प्रयोग करके कैसे संकेत दे पाते होंगे। क्या वे तैर लेते होंगे ? इस संबंध में प्रश्नों के उत्तर ढूँढ़े जा रहे हैं।

□

हड्डियों का विश्लेषण

जी वाश्म बनने की प्रक्रिया में हड्डियों की आंतरिक संरचना में कोई परिवर्तन नहीं होता। डायनासोरों की हड्डियाँ पूरे संसार में प्रचुर मात्रा में मिली हैं, अत: उनका बड़े पैमाने पर विश्लेषण हो चुका है और उससे आश्चर्यजनक तथ्य विश्व के सामने उभरे हैं।

सबसे बड़ी बात यह है कि डायनासोर की हड्डियों के विश्लेषण से ज्ञात होता है कि उनकी हड्डियाँ उन प्राणियों से अधिक मिलती हैं, जो गरम खूनवाले होते हैं। ये ठंडे खून वाले प्राणियों, जैसे छिपकली आदि से भिन्न होती हैं।

स्तनपायी जीवों व डायनासोर की हड्डियाँ अधिक रंध्रयुक्त (पोरस) होती हैं। सरीसृप वर्ग के प्राणियों की हड्डियों में बहुत कम छिद्र होते हैं। अधिक रंध्रयुक्त हड्डियाँ तब उत्पन्न होती हैं, जब हड्डियों में वृद्धि अति तीव्र गति से होती है। अनेक मामलों में ऐसा होता है, जब एक आयु के पश्चात् हड्डियों की रीमॉडलिंग होती है।

इसका अर्थ है कि डायनासोर की अस्थियों की वृद्धि अत्यंत तीव्र गति से

होती थी तथा बाद के काल में इनकी पुन:मॉडलिंग होती थी, जिससे ये अति सशक्त हो जाती थीं।

पर फिर भी उनकी शरीर क्रिया तथा हड्डी संरचना में समानता कम है और भ्रम अधिक है।

□

नर व मादा डायनासोर

संसार में अधिकांश प्राणी जोड़े के रूप में रहते हैं। वयस्क होने पर नर को मादा की और मादा को नर की तलाश होती है। कुछ प्राणियों में यह तलाश शांतिपूर्वक संपन्न हो जाती है, जबकि कुछ प्राणियों में तलाश का यह क्रम वीभत्स रूप ले लेता है।

इसी प्रकार अनेक मामलों में एक नर अनेक मादाओं के साथ रहता है और उनसे संबंध बनाता है। चंद मामलों में एक मादा एक से अधिक नरों के साथ रहती है और सभी के बच्चों को बारी-बारी से जन्म देती है।

नर व मादा प्राणी में स्पष्ट अंतर देखने को मिलता है। अधिकांश मामलों में नर के शरीर का आकार बड़ा होता है और वह अधिक शक्तिशाली व आक्रामक होता है। दूसरी ओर कुछ मामलों में मादा अधिक सशक्त व आक्रामक होती है। उसके शरीर का आकार भी बड़ा होता है। आमतौर पर वह अपनी संतान की सुरक्षा के लिए चौकन्नी होती है। इसी क्रम में डायनासोर के संबंध में भी प्रश्न उठते हैं कि आखिर नर व मादा डायनासोरों के बीच क्या-क्या समानताएँ व असमानताएँ थी। हालाँकि इस संबंध के आँकड़े अल्प व अस्पष्ट हैं, पर फिर भी यह अनुमान लगाया जाता है कि डायनासोर की एक प्रजाति इगुवांडन के मामले में मादा के शरीर का आकार बड़ा था। साथ ही मादा इगुवांडनों की संख्या भी अधिक होती थी तथा नर जो आकार में छोटा होता था, अनेक मादाओं के साथ संबंध बनाता था।

उपरोक्त अनुमान का एक आधार यह भी था कि सरीसृप वर्ग के प्राणियों में मादा के शरीर का आकार बड़ा होता है। कारण यह है कि मादा को मोटे

कवच वाले अंडे देने होते हैं और इस प्रक्रिया में शरीर में स्थित तमाम संसाधनों का एक साथ व्यय हो जाता है।

उपरोक्त को केवल अनुमान ही माना जा सकता है, क्योंकि सरीसृप वर्ग के प्राणियों में नर व मादा में अनेक प्रकार के अंतर देखने को मिलते हैं। उनके जननांगों में तो अंतर देखने को मिलता ही है, साथ ही उनकी त्वचा के रंग व उनके व्यवहार में भी अंतर देखने को मिलता है।

दुर्भाग्यवश जननांग नरम होते हैं और समय के साथ नरम अंग नष्ट हो जाते हैं तथा जीवाश्मों के रूप में परिवर्तित नहीं हो पाते हैं। इसी तरह शरीर का रंग भी मृत्यु के पश्चात् नष्ट हो जाता है।

□

डायनासोर की शारीरिक क्रिया

डायनासोर के काल में पृथ्वी विशेष रूप से स्थल इलाकों का स्वरूप आज से भिन्न था। उस काल में पेंजिया एकमात्र विराट् महाद्वीप था। यहाँ का मौसम गरम था। अनेक इलाके बड़े-बड़े रेगिस्तानों में परिवर्तित हो गए थे और वहाँ तापमान काफी ज्यादा था और वर्षा अत्यंत कम होती थी। इसका प्रभाव सभी प्रकार के डायनासोर के अतिरिक्त अन्य सरीसृप वर्ग के प्राणियों पर भी पड़ता था। जैसा कि हम जानते हैं कि ठंडे रक्तवाले सरीसृप वर्ग के प्राणियों को भोजन की आवश्यकता बहुत कम होती है और वे उस वातावरण में जी लेते हैं, जहाँ पर हरियाली बहुत कम होती है। सरीसृप वर्ग के रेंगनेवाले प्राणियों की त्वचा ऐसी होती है कि रेगिस्तानी व शुष्क क्षेत्रों में उनका पसीना बहुत कम बाहर निकलता है। उनके शरीर से मूत्र भी नहीं निकलता है और मल में ही थोड़ा जल का अंश होता है—जैसे कि चिड़िया की बीट। इस कारण रेगिस्तानों में उनका अस्तित्व सुरक्षित रहता है। दूसरी ओर स्तनपायी जीवों के शरीर से अपेक्षाकृत अधिक जल निकलता है, साथ ही शरीर का तापमान पर्यावरण के तापमान से कुछ अधिक होता है। इस प्रकार ये अपने शरीर से ताप छोड़ते हैं, जो कि पर्यावरण में जाता है।

दूसरी ओर सर्दियों के मौसम में भी यह प्रक्रिया जारी रहती है, पर ताप के बहाव को रोकने के लिए फर आदि सहायक बन जाते हैं तथा वे ताप के कुचालक का कार्य करते हैं। हम अकसर देखते हैं कि वे ठंड के मारे काँपने लगते हैं, पर इस कंपन से उनकी मांसपेशियाँ सक्रिय हो जाती हैं तथा इससे अतिरिक्त ऊर्जा उत्पन्न हो जाती है, जो ठंड का मुकाबला करती है। उनकी

मेटाबोलिक दर भी बढ़ जाती है। गरम मौसम में उनके शरीर से पसीना निकलता है, जिससे उनके शरीर में शीतलता आती है, पर इस प्रक्रिया में शरीर में स्थित जल बाहर निकल जाता है और यदि रेगिस्तानी इलाके में उन्हें रहना हो तो यह स्थिति उनके लिए जानलेवा सिद्ध हो सकती है।

इसके अतिरिक्त स्तनपायी जीवों के शरीर के अपशिष्ट पदार्थ मूत्र के साथ बाहर निकलते हैं। साथ ही अपने शरीर की क्रियाओं को चलाए रखने के लिए उन्हें काफी भोजन करना पड़ता है और रेगिस्तानी क्षेत्रों में उसकी भारी कमी हो जाती है। यही कारण है कि रेगिस्तानी क्षेत्रों में स्तनपायी जीवों की संख्या कम होती है।

ट्राइएसिक काल के बाद का भाग तथा जुरासिक काल का प्रारंभिक भाग रेगिस्तानों से पूर्ण था और यह सरीसृप वर्ग के रेंगनेवाले प्राणियों के ही अनुकूल था। तब भी और आज भी रेगिस्तानी क्षेत्रों में छोटे आकार के स्तनपायी जीव ही अपना अस्तित्व बचा पाते हैं। ऊँट एक अपवाद है। यहाँ के प्राणी दिन में अधिक तापमान पर छिप जाते हैं और रात में शीतल वातावरण में बाहर निकलते हैं। ये स्तनपायी जीव व पक्षी कीड़े-मकोड़े आदि खाकर अपना गुजारा करते हैं।

डायनासोर के काल में पूरी पृथ्वी पर गरम व उमस भरा वातावरण था तथा ध्रुवीय प्रदेशों में भी बर्फ जमने के कोई प्रमाण नहीं मिले हैं, पर यह भी सत्य है कि जुरासिक काल में पृथ्वी पर काफी हरियाली आ गई और इसका भरपूर लाभ व आनंद डायनासोर ने उठाया होगा। कालांतर में यह हरियाली, पेड़ आदि जमीन के नीचे दब गए, जो कि आज कोयले के रूप में खानों से निकाले जाते हैं। जुरासिक काल डायनासोर का प्रमुख काल था। इस काल में पेंजिया का विघटन हुआ और स्थल प्रदेशों के बीच के समुद्र चौड़े होते गए। इस प्रकार मौसम गरम होने के साथ-साथ और नम हो गया।

❑

वृहदाकार होने का लाभ

औसत डायनासोर की लंबाई 5 से 10 मीटर तक थी और यह आज के स्तनपायी जीवों की तुलना में बहुत अधिक थी। बड़े आकार के कारण उन्हें लाभ भी थे। छोटे आकार के प्राणियों की तुलना में बड़े आकार के प्राणी के शरीर से ताप का निकास या शरीर में ताप का प्रवेश धीमी गति से हो पाता है। सरीसृप वर्ग के प्राणी भी इस प्रकार का लाभ उठाते हैं। एक मगरमच्छ के शरीर का तापमान पूरे चौबीस घंटे में उतना नहीं बदलता, जितना कि एक छिपकली या गिलहरी का बदलता है। इसके अतिरिक्त बड़े आकार के कारण मांसपेशियों को भी अधिक परिश्रम करना पड़ता है। पूरे शरीर के भार का संतुलन बनाए रखना होता है। इस प्रकार उत्पन्न ताप से भी शरीर के तापमान को स्थिर बनाए रखने में सहायता मिलती है।

डायनासोर की छाती की गुहा के सी.टी. स्कैन से यह ज्ञात होता है कि उनके हृदय में चार चैंबर उसी प्रकार होते हैं, जैसे कि आजकल के स्तनपायी जीवों व पक्षियों में होते हैं। उनका सिर छाती के स्तर से काफी ऊँचाई पर होता था, इस कारण उनका हृदय तंत्र काफी दक्ष था और इस प्रकार वह पूरे शरीर को पर्याप्त मात्रा में ऑक्सीजन, भोजन व ताप पहुँचाने में सक्षम थे। साथ ही उनके शरीर में अवांछित अवशिष्ट पदार्थों को निकालने का भी कुशल प्रावधान था। संभवत: उनके फेफड़े पक्षियों की भाँति थे और इस कारण वे अपनी ऊर्जा युक्त, चपल गतिविधियों के दौरान विभिन्न ऊतकों को पर्याप्त ऑक्सीजन पहुँचाने में सक्षम थे। वे उस मौसम का भी सामना कर लेते थे, जिसमें लगातार गरमी पड़ती थी या मौसम प्रतिकूल हो जाता था।

नरम ऊतक तथा डी.एन.ए.

इटली स्थित पेट्राटोइया में डायनासोर के एक जीवाश्म में नरम ऊतकों की छाप भी मिली है। यह एक डायनासोर के बच्चे का जीवाश्म है, जिसमें उसकी छोटी आँत, बड़ी आँत, यकृत, मांसपेशी व श्वास नली स्पष्ट दिखलाई दे रही है। इसके पश्चात् वैज्ञानिकों ने 2005 में डायनासोर के एक पैर की हड्डी के जीवाश्म का अध्ययन किया और इसके ऊतक पर अनेक प्रयोग किए।

उपरोक्त प्रयोगों के दौरान हड्डी से खनिज अवयव अलग किए गए तथा उनका सूक्ष्म अध्ययन किया गया। इसके परिणामों पर वैज्ञानिक एकमत नहीं है, क्योंकि 6-8 करोड़ वर्षों के दौरान बैक्टीरिया भी अनेक प्रकार की करामातें दिखा सकते हैं। यह भी हो सकता है कि रक्तवाहिकाओं व कोशिकाओं के नष्ट होने के पश्चात् खाली स्थानों को बैक्टीरियाओं द्वारा निर्मित जैव फिल्मों द्वारा भरा गया हो।

डायनासोर के डी.एन.ए. की जाँच अभी जारी है। डायनासोर किस प्रकार यौन क्रियाएँ करते थे या किस प्रकार अपने क्षेत्रों का निर्धारण करते थे, इस संबंध में अभी और अध्ययन व अनुसंधान की आवश्यकता है।

☐

कैसे हुए विश्वव्यापी

डायनासोर के जीवाश्म दुनिया के कोने-कोने में पाए जाते हैं। इसका प्रमुख कारण यह है कि एक अरसे तक डायनासोर का आधिपत्य पूरे संसार में था। आखिर वे कैसे पूरे संसार में फैले इस संबंध में जो अनुसंधान हुए, उससे चौंकाने वाले तथ्य संसार के सामने आए और अब वे प्रमाणित भी हो चुके हैं। उनके अनुसार, आज की तरह दुनिया के महादेश अलग-अलग नहीं थे। वास्तव में ट्राइएसिक काल के अंत में तथा जुरासिक काल के प्रारंभ में सभी महादेश एक-दूसरे से जुड़े हुए थे, जैसे कि एक वृहद द्वीप। इस अकेले स्थल क्षेत्र का नाम पेंजिया था। इसे आगे चित्र देखकर समझा जा सकता है।

पहले-पहल फ्रांसिस बेकन नामक विद्वान् विचारक ने अफ्रीका, यूरोप व अमेरिका की तटीय रेखाओं को देखकर उपरोक्त परिकल्पना विश्व के समक्ष रखी थी और यह बताया था, ये महादेश एक वृहद महादेश के टूटने से बने हैं। उनके अनुसार, जिगसॉ पहेली की भाँति उन्हें यदि ज्यों-का-त्यों जोड़ दिया जाए तो पुन: एक वृहदाकार स्थलीय द्वीप बन जाएगा।

निश्चय ही उस समय उपरोक्त परिकल्पना की लोगों ने खिल्ली उड़ाई होगी, पर अनेक विद्वानों को इस दिशा में सोचने का आधार मिल गया। इसका लाभ उठाते हुए 1912 में एक जर्मन मौसम विज्ञानी अल्फ्रेड वेगेनर ने एक अन्य परिकल्पना सभी के समक्ष रखी, जिसके अनुसार अमेरिका, यूरोप व अफ्रीका पहले वास्तव में एक महादेश के रूप में थे। चूँकि वे प्रशिक्षित भूगर्भ शास्त्री नहीं थे, अत: उनके उपरोक्त विचार को उड़ा दिया गया। लोगों का मानना था कि इतने विशाल भूखंड वास्तव में किस प्रकार एक-दूसरे से अलग व दूर हुए होंगे। विद्वानों का इस दिशा में चिंतन जारी रहा और अंत में वे इस निष्कर्ष पर पहुँच ही गए कि यदि सभी प्रमुख महादेशों को एक साथ जोड़ा जाए तो एक विशद स्थलीय क्षेत्र बन सकता है। अब ऐसा लगने लगा मानो ये महादेश चलायमान हैं और एक कन्वेयर बेल्ट की भाँति एक दिशा में जा रहे हैं।

उपरोक्त परिकल्पना की पुष्टि आज अनेक आधारों पर हो चुकी है। विभिन्न महादेशों के तटीय इलाकों, उनके नीचे की गई खुदाई, संलग्न महासागरों की किनारे की तली आदि के विश्लेषण से यह स्पष्ट हो जाता है कि ये वास्तव में एक समय जुड़े होंगे। वास्तव में पृथ्वी के अंदरुनी भाग में लावा भरा है, जो कि गाढ़े द्रव की अवस्था में है तथा इसके चलायमान हो जाने की स्थितियाँ समय-समय पर बनती रहती हैं। इसके ऊपर की भूपर्पटी वास्तव में प्लेटों के ऊपर टिकी है। जब भी नीचे का लावा किसी कारण से चलायमान होता है, यह भूपर्पटी गतिशील हो जाती है। भूकंप, ज्वालामुखी आदि की उत्पत्ति इन प्लेटों के चलायमान होने से ही होती है। यदि सागर तली के नीचे की प्लेट हिलती है तो भीषण लहरें उठती हैं, जिन्हें 'सुनामी लहरें' कहा जाता है। पृथ्वी की अब तक की आयु में असंख्य बार ये प्लेटें अपनी जगह से विचलित हुई हैं और यही कारण है कि पहले पेंजिया दो भागों में बँटा और स्थल क्षेत्र लॉरेसिया व गोंडवाना लैंड नाम से दो विराट् द्वीपों में विभाजित हुआ।

कालांतर में ये दो विराट् द्वीप भी टूटे और आज अनेक महादेश और महाद्वीप हमें देखने को मिलते हैं। रोचक बात यह है कि भारत व अंटार्कटिका, जो आज एक-दूसरे से बहुत दूर हैं तथा उनकी परिस्थितियाँ व आबोहवा एक दूसरे से बिलकुल भिन्न हैं, किसी समय गोंडवाना लैंड के एक भाग थे तथा एक-दूसरे के पड़ोसी थे। ❑

डायनासोर की दृष्टि से

डायनासोर के पृथ्वी पर आने से पूर्व सभी महादेश एक-दूसरे से जुड़े हुए थे और पेंजिया विराट् द्वीप अखंड था। इसका एक आधार यह भी है कि डायनासोर के जीवाश्म पृथ्वी के सभी भागों में पाए जाते हैं तथा वे लगभग एक जैसे ही हैं।

बाद के काल में अर्थात् जुरासिक काल व क्रेटासियस काल में पेंजिया का खंडन हुआ। डायनासोर, जो पेंजिया में एक सिरे से दूसरे सिरे तक छाए थे, अब बँट गए। एक क्षेत्र के डायनासोर का दूसरे क्षेत्र के डायनासोर से कोई संपर्क नहीं रहा।

जब उपरोक्त प्रकार का व्यापक परिवर्तन हुआ तो पर्यावरण व परिस्थितिकी में भी व्यापक परिवर्तन हुए। एक क्षेत्र के डायनासोर को अलग परिस्थिति में रहना पड़ा और दूसरे क्षेत्र के डायनासोर को अलग परिस्थिति में। इस कारण डायनासोरों की विभिन्न आबादियों में भी परिवर्तन दिखाई देने लगे। अब उनकी प्रजातियों की संख्या बढ़ती चली गई।

उदाहरण के लिए, कुछ डायनासोर के पैर ऐसे हो गए मानो वे पक्षी हों। वास्तव में आज पृथ्वी के सागरों-महासागरों तथा महाद्वीप-महादेशों की जो स्थिति है, उससे यह स्पष्ट है कि पूर्व स्थिति और वर्तमान स्थिति के बीच व्यापक परिवर्तन हुए तथा इस कारण जो प्राणियों की संरचना में विकास हुआ, उससे उसका अध्ययन किया गया। इन परिवर्तनों के अध्ययन के लिए डायनासोर के जीवाश्मों का तुलनात्मक अध्ययन भी किया गया, जिससे यह ज्ञात हो जाता है या कम-से-कम पुष्टि तो हो ही जाती है कि उस समय

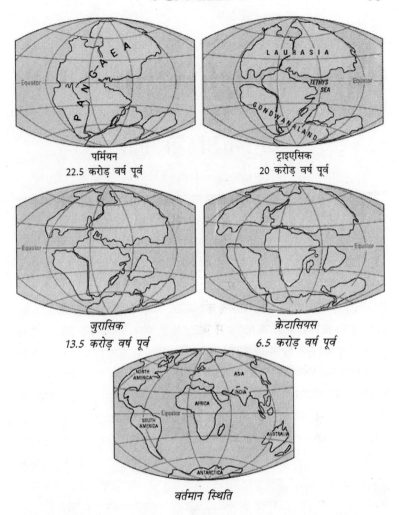

पर्मियन
22.5 करोड़ वर्ष पूर्व

ट्राइएसिक
20 करोड़ वर्ष पूर्व

जुरासिक
13.5 करोड़ वर्ष पूर्व

क्रेटासियस
6.5 करोड़ वर्ष पूर्व

वर्तमान स्थिति

जहाँ जीवाश्म मिला, उस स्थान की स्थिति कैसी थी। साथ ही यह भी ज्ञात हो जाता है कि पृथ्वी पर किस काल में घास उगी थी और किस काल में फूलोंवाले पौधे उत्पन्न हुए थे। शाकाहारी डायनासोर का यह प्रमुख आहार था।

□

डायनासोर से पक्षी

सन् 1868 में पहले-पहल चार्ल्स डार्विन के समकालीन वैज्ञानिक थॉमस हक्सली ने यह परिकल्पना संसार के समक्ष रखी कि डायनासोर आधुनिक पक्षियों के पूर्वज थे। निश्चय ही यह बात तत्कालीन समाज को अटपटी लगी होगी। इस कल्पना के पक्ष व विपक्ष में अनुसंधान अवश्य प्रारंभ हो गए। यदि ध्यान से देखें व सोचें तो डायनासोर व पक्षियों में खासी समानताएँ हैं। उनके लंबे पैर, लंबी गरदन, छोटा सिर, सामने की आँखें, पंजे युक्त हाथ, जबड़े में दाँत, लंबी पूँछ। बीसवीं सदी के प्रारंभ में जेदहार्ड हेलमैन ने हक्सली की उपरोक्त परिकल्पना को सिरे से नकार दिया। 1970 के दशक में जॉन ऑस्ट्रम ने उपरोक्त परिकल्पना को पुनर्जीवित कर दिया और कहा कि थेरोपोड (डायनासोर की एक प्रजाति) ही पक्षियों के पूर्वज थे। उन्होंने पक्षियों व थेरोपोड डायनासोरों में लगभग 100 से अधिक समानताएँ निकालीं और सबको समझाईं।

आज यह स्पष्ट रूप से माना जाता है कि डायनासोर की एक प्रजाति थेरोपोड में समय के साथ अनेक परिवर्तन हुए, इस प्रकार पक्षियों की उत्पत्ति हुई। सबसे पहला व महत्त्वपूर्ण परिवर्तन पूँछ में हुआ, वह पतली होती चली गई। लंबी, पतली हड्डियों के गुच्छे के रूप में यह पूँछ कमर (हिप) के पास के एक लचीले अंग के रूप में परिवर्तित हो गई। वास्तव में यह शारीरिक परिवर्तन आवश्यकता के कारण हुआ और डायनासोर को तेजी से भागनेवाले या छिप जानेवाले शिकार को दबोचने में इससे भरपूर सहायता मिलती है। गतिशील पूँछ उनके गतिशील संतुलन को बनाए रखने में सहायक होती थी। यह परिवर्तन उनके शरीर में अकेला परिवर्तन नहीं था। यदि केवल यही परिवर्तन हुआ होता अर्थात् केवल पूँछ पतली हुई होती तो डायनासोर के शरीर का अगला भाग भारी

हो गया होता और वे असंतुलित शरीर वाले होते और अकसर नाक के बल लुढ़क जाते ।

पूँछ पतली होने की प्रक्रिया के संतुलन में उनमें अन्य परिवर्तन भी हुए। इनमें शरीर के कुछ अंग पीछे की और झुके। उनकी छाती छोटी हुई और उनकी बाँहें तथा उनमें तीन उँगलियों वाले पंजे मजबूत हुए, जिससे उन्हें शिकार दबोचने में आसानी होने लगी। साथ ही आवश्यकता न होने पर उनका शरीर सिकुड़ने भी लगा। लचीलापन काफी बढ़ गया। उपरोक्त परिकल्पना को सिद्ध करने में अनेक जीवाश्मों ने सहायता की। इन जीवाश्मों के गुण डायनासोर तथा पक्षियों दोनों से मिलते थे। आर्कियोप्टेरिक्स नामक पंख युक्त डायनासोर का जीवाश्म पहले-पहल 1861 में मिला था। दक्षिणी जर्मनी में मिले इस जीवाश्म में प्राणी के विवरण काफी स्पष्ट रूप से दिखाई दे रहे थे। ये लक्षण ऐसे थे मानो वह आधुनिक सरीसृप वर्ग और पक्षी के बीच का प्राणी हो।

सबसे अधिक रोचक तथ्य यह था कि डार्विन के उस समय के विवादास्पद सिद्धांत युक्त रचना 'ओरिजिन ऑफ स्पेशीज' के दो वर्ष बाद, यह जीवाश्म लोगों की दृष्टि में आया था। यह प्रारंभिक पक्षी बिलकुल डायनासोर जैसा था। यदि आस-पास की चट्टानों में पंखों के निशान न होते तो अलग पहचान असंभव थी। ध्यान से देखा जाए तो उपरोक्त जीवाश्म में लंबी व अत्यंत पतली पूँछ, जो रीढ़ की कड़ियों से बनी थी और इसमें पूँछ के छोटे व पतले पंख लगे थे। कमर की हड्डियों का ढाँचा इस प्रकार का था कि वह पीछे की ओर झुका था। जबड़ों में छोटे-छोटे व नुकीले दाँत थे। बाँहें लंबी थी। हाथों में तीन उँगलियों युक्त पंजे थे।

पंखों के निशान स्पष्ट थे व उन्हें नकारा नहीं जा सकता था। इस कारण इसे पक्षी मानना अनिवार्य था, अन्यथा भ्रम हो गया होता।

□

चीन में मिले अनेक पंख युक्त डायनासोर

उपरोक्त पंख युक्त डायनासोर की चर्चा ने तब और जोर पकड़ा, जब 1990 के दशक में क्रेटासियस युग के प्रारंभिक काल के अनेक जीवाश्म चीन में प्राप्त हुए। ये जीवाश्म उत्तर-पूर्वी चीन के जियोनिंग प्रांत में मिले तथा इनका विवरण जी कियांग तथा जी शुआँग नामक वैज्ञानिकों ने तैयार किया। इसमें से एक था—1996 में प्राप्त छोटे थेरोपोड का अस्थि-पंजर, जिसकी त्वचा ऐसी थी मानो एक मोटा बुना हुआ कालीन। इसमें आँखों के गड्ढों के स्थान पर नरम ऊतक जैसा भी कुछ रहा होगा। उपरोक्त तथ्यों से इतना उत्साह बढ़ा कि इस प्रकार के जीवाश्म की खोज और बढ़ी। इस क्रम में एक और जीवाश्म मिला, जिसकी शारीरिक रचना पहले से मिले डायनासोर के जीवाश्मों से मिलती-जुलती थी, साथ में पूँछ के स्थान पर छोटे-छोटे पंखों व किनारों पर बड़े पंखों के अवशेष थे। धीरे-धीरे खोज बढ़ी और कहीं पर छोटे-छोटे पंखों वाले तो कहीं पर बड़े-बड़े पंखोंवाले प्राणियों के जीवाश्म मिलते गए। वर्ष 2003 में चार पंखोंवाले डायनासोर के जीवाश्म मिले, जिसका नाम माइक्रोराप्टर रखा गया। यह प्राणी लंबी पक्षी जैसी पूँछ वाला, लंबी लटकने वाली बाँहोंवाला था और इसके जबड़ों में दाँतों की लंबी लाइन थी। इसकी पूँछ के पंख प्राथमिक प्रकार के थे। पैरों के साथ निचले भाग में पंख जैसी संरचना थी।

नए सवाल

पंखों की खोज ने डायनासोर के स्वरूप पर नए-नए प्रश्न खड़े कर दिए।

अनेक विद्वानों ने यह प्रश्न उठा दिया कि केवल पंख होने से ही किसी प्राणी को पक्षी वर्ग में नहीं डाला जा सकता। इससे इतना तो स्पष्ट हो ही गया कि उस समय प्राणियों में उड़ान भरने हेतु आवश्यक अवयव विकसित हो रहे थे। साथ ही थेरोपोड के पंखों में काफी विविधता मिली है। इससे यह माना जा सकता है कि धीरे-धीरे प्राणी उड़ने की तैयारी कर रहे थे या शायद उड़ानें भी भर रहे हों। पंख युक्त डायनासोर को 'डीनोबर्ड' नामक नया नाम दिया गया।

□

पंख क्यों विकसित हुए

डार्विन के सिद्धांत के अनुसार प्राणियों के शरीरों में परिवर्तन उनकी आवश्यकता के अनुसार होते हैं। इस संबंध में निम्न तथ्य सामने आते हैं—अनेक डायनासोर छोटे आकार के थे। उनका आकार लंबाई में 20 से 40 सेंटीमीटर ही था। छोटे प्राणियों में उनके शरीर के आयतन की तुलना में शरीर की सतह का क्षेत्रफल अपेक्षाकृत अधिक होता है। इससे शरीर का ताप तेजी से बाहर जाने लगता है। यही कारण है कि छोटे स्तनपायी जीवों, जैसे खरगोश तथा पक्षियों में त्वचा पर फर या पंख जैसे अवयव विकसित हो जाते हैं।

विकास की कल्पना

डायनासोर की कुछ प्रजातियाँ किस प्रकार पक्षियों में परिवर्तित हुई होंगी। इस संबंध में विद्वानों ने रोचक कल्पना की है। यह माना गया है कि छोटे आकार के थेरोपोड वास्तव में अति सक्रिय व तीव्र गति से चलनेवाले प्राणी होंगे तथा उनके शरीर की संरचना उन्नत व सुसज्जित रही होगी। साथ ही छोटे आकार के कारण शारीरिक गतिविधियों के कारण शरीर में ताप उत्पन्न होता है, वह बहुत तेजी से बाहर चला जाता है। इसलिए उनके शरीर के लिए एक कुचालक आवरण आवश्यक था, जो बाहर जानेवाले ताप को बाधित कर सके। वास्तव में पंख उत्पन्न होने का यही मूल कारण था। यह प्रक्रिया धीमे-धीमे संपन्न हुई होगी। सामान्य त्वचा पर पहले बाल जैसी संरचना उत्पन्न हुई होगी और फिर उन्होंने पंखों का रूप धारण किया होगा।

अत: यह स्पष्ट है कि ये पंख मूलत: उड़ान भरने के लिए नहीं थे, वरन् छोटे आकार के डायनासोरों के शरीर के ताप के निकास को बाधित करने के लिए

थे। इसका एक प्रमाण यह है कि अनेक जीवाश्मों में पूँछ, सिर, टाँगों आदि पर भी पंख जैसी संरचना थी। साथ ही डार्विन के जीवोत्पत्ति सिद्धांत के अनुसार— प्राणियों के अनुपयोगी अंग धीरे-धीरे विलुप्त हो जाते हैं। जब छोटे-छोटे डायनासोर के शरीर में पंख उगे तो उन्हें उनकी सहायता से अनेक कार्यों में सुविधा होने लगी। वे इनकी सहायता से ऊँचाई से कूदने लगे। विपरीत लिंग वाले डायनासोर को रिझाने में भी ये पंख उपयोगी सिद्ध हुए। पंखों के फैलाव आदि से इनका स्वरूप मनोहारी हो गया और यौन क्रिया के लिए साथी की तलाश सरल हो गई।

धीरे-धीरे वे पेड़ों की टहनियों पर चढ़ने और वहाँ से उड़ान भरते हुए कूदने लगे। जो पंख इस प्रक्रिया में उपयोगी भूमिका निभाते थे, उनकी संरचना सशक्त व जटिल होती गई। साथ ही जो पंख अनुपयोगी थे, वे धीरे-धीरे विलुप्त होते गए। हालाँकि उपरोक्त परिकल्पना में कुछ कड़ियाँ प्रकाश में नहीं आ रही हैं, चूँकि खोज व अनुसंधान का कार्य जारी है। अत: ये कड़ियाँ भी शीघ्र स्पष्ट हो जाएँगी।

☐

दो वर्ग के डायनासोर

अब तक हमने बृहदाकार डायनासोर की अधिक चर्चा की थी और यह पाया था कि इस काल में परिस्थितियाँ बृहदाकार डायनासोर के लिए अधिक अनुकूल थीं। गरम व नम वातावरण में बृहदाकार डायनासोर खूब फल-फूल रहे थे।

निश्चय ही इससे छोटे आकार के डायनासोर के अस्तित्व का प्रश्न उठ खड़ा हुआ होगा। अनेक डायनासोर मांसाहारी भी थे और वे छोटे-छोटे प्राणियों, जैसे थेरोपोड को खा जाते होंगे। उपरोक्त विकास प्रक्रिया के द्वारा छोटे-छोटे डायनासोर को भी अस्तित्व रक्षा का एक आधार मिल गया। जीवन के लिए आवश्यक शरीर के अंदर का ताप भी सुरक्षा देने लगा और बाहरी आक्रमण से बचाव का साधन भी उत्पन्न हो गया।

आज से तुलना

उपरोक्त स्थितियों की तुलना आज की परिस्थितियों व प्राणियों से भी की जा सकती है। हाथी प्राचीन बृहदाकार डायनासोर के आकार का होता है तथा चूहा प्राचीन छोटे आकार के डायनासोर जैसा होता है। हाथी के शरीर का तापमान उसके बड़े शरीर के कारण स्थिर होता है। दूसरी ओर चूहा छोटा होता है, पर उसके शरीर के अंदर का तापमान इसलिए स्थिर हो पाता है, क्योंकि वह अत्यंत चंचल व गतिशील होता है। जब हाथी को अतिरिक्त कार्य या तीव्र गति से कार्य करना होता है तो उसके शरीर से तेजी से ताप बाहर निकलता है। उसके पंखे जैसे कान हवा करने लगते हैं और उसे राहत मिलती है।

हालाँकि अनेक विद्वान् डायनासोर के पंख उगने और फिर उनके पक्षी बनकर उड़ने पर प्रश्नचिह्न लगाते हैं और यहाँ तक कहते हैं कि इन डायनासोर के पंख नहीं थे या जिनके काँटे जैसे पंख होते हैं, वे डायनासोर ही नहीं थे। इन आलोचनाओं को अधिक महत्त्व नहीं दिया जाता है। हालाँकि अनेक विद्वान् पंखवाले डायनासोर को, डायनासोर व पक्षी के बीच का प्राणी मानते हैं। यदि डायनासोर और पक्षियों की शरीर रचना का बारीकी से अध्ययन किया जाए तो इस बात की पुष्टि होती है कि डायनासोर से ही पक्षियों का विकास हुआ। मांसाहारी डायनासोर व पक्षी दोनों के अंदर हवा बीच-बीच में भरी होती है। दोनों का श्वसन तंत्र एक जैसा होता था।

एक अन्य विचित्र साम्यता देखने को मिली है। डायनासोर और पक्षी दोनों ही गिजार्ड पत्थर निगल लेते हैं। यह पत्थर उनके पाचन तंत्र में सहायक होता है तथा भोजन व कड़े रेशों को विखंडित कर देता है। दोनों के ही जीवाश्मों में इस प्रकार के पत्थर मिले हैं।

☐

प्रजनन तंत्र

डायनासोर और पक्षियों के मध्य संबंध स्थापित करने के ही क्रम में वैज्ञानिकों ने डायनासोर के लिंगों की पहचान की। यह पाया गया कि मादा पक्षी जब अंडा देती है तो इसके शरीर में मेडुलरी हड्डी विकसित हो जाती है, जो कैल्शियम से परिपूर्ण होती है तथा उससे अंडे के कवच का निर्माण होता हैं।

थेरोपोड डायनासोर में भी मेडुलरी हड्डी मिली है। यह भी स्पष्ट हो गया कि डायनासोर जल्दी ही यौन क्रिया हेतु परिपक्व हो जाते थे। मेडुलरी हड्डी इस प्रक्रिया में अहम भूमिका निभाती है।

एक और साम्यता

यह भी देखा गया कि अनेक डायनासोर अपने सिर को अपनी बाँहों से ढककर सोते थे। ऐसा पक्षी भी आमतौर पर करते हैं। ऐसा इसलिए किया जाता है, ताकि सिर गरम रहे। उपरोक्त नवीन प्रमाणों के कारण अब यह नहीं मानने का कोई कारण ही नहीं है कि डायनासोर ही पक्षियों के पूर्वज थे।

□

कब व कैसे हो गए विलुप्त

डायनासोर का अध्ययन करते-करते यह प्रश्न उठा कि आखिर कब, कैसे और क्यों वे विलुप्त हो गए?

डायनासोर के जीवाश्म जिन-जिन चट्टानों के बीच मिले थे, वे सभी आज से साढ़े छह करोड़ वर्षों से अधिक पुरानी थी। यह वह काल था, जब क्रेटासियस काल का अंत हो जाता है और यहाँ से पृथ्वी का तृतीयक काल प्रारंभ होता है।

इस काल से पूर्व अर्थात् क्रेटासियस काल के अंतिम दौर में पृथ्वी पर प्राणियों की भारी भीड़ व विविधता उत्पन्न हो गई थी। समुद्र में भी बृहदाकार सरीसृप वर्ग के प्राणी उत्पन्न हो गए थे, जैसे मोजासोर, प्लासियोसोर आदि। आकाश में उड़नेवाले जीवों में प्रमुख थे—टेरोसोर आदि।

जीवन के कारण

किसी प्राणी या प्राणियों के वर्ग के विलुप्त हो जाने के कारण का विश्लेषण करने से पूर्व इस बात को जानना व समझना आवश्यक होना है कि उसके जीवन का आधार क्या था और वह क्यों जी पा रहा था? उसके बाद ऐसा क्या हो गया कि उसका अस्तित्व नष्ट हो गया।

डायनासोर का युग

डायनासोर का युग, जो मीसोजोइक युग कहलाता है, में ध्रुवीय प्रदेशों में बर्फ का जमाव नहीं था। इस कारण सागर तल का स्तर आज की तुलना में 100 से 250 मीटर तक ऊँचा था। इस कारण जलाच्छादित क्षेत्र निश्चित रूप से आज

की तुलना में अधिक था। उस समय पृथ्वी का तापमान अधिक था। ध्रुवीय प्रदेशों में बर्फ नाम के लिए भी नहीं थी, पर ध्रुवीय प्रदेशों का तापमान भूमध्य रेखा प्रदेशों के तापमान से कम अवश्य था। भूमध्य रेखा पर स्थित स्थल प्रदेशों व ध्रुवीय प्रदेशों के तापमान में मात्र 25 डिग्री सेल्सियस का अंतर था, जो कि आज की तुलना में बहुत कम है। आज ध्रुवीय प्रदेशों का तापमान भूमध्यरेखा की तुलना में लगभग 50 डिग्री सेल्सियस कम है। कुल मिलाकर अधिक तापमान व जलाच्छादित क्षेत्रों की अधिकता के कारण अत्यधिक गरमी व उमस होती थी।

वायुमंडल की संरचना भी भिन्न

उस समय वायुमंडल में गैसों का प्रतिशत भी आज की तुलना में बहुत अलग था। मीसोजोइक काल से आज की तुलना की जाए तो ज्ञात होता है कि आज ऑक्सीजन का हिस्सा 21 प्रतिशत है, जबकि उस समय यह 32 से 35 प्रतिशत तक था।

मौसम में बदलाव भी आ रहे थे। प्रारंभिक काल में ज्वालामुखी अधिक फूटते थे। धीरे-धीरे ज्वालामुखी फूटने की घटनाओं में संख्यात्मक व गुणात्मक दोनों प्रकार की कमी आई। इससे वातावरण में शीतलता बढ़ने लगी। इन सब कारणों से ऑक्सीजन का प्रतिशत काफी गिर गया। इस कारण जिन प्राणियों को अधिक ऑक्सीजन की आवश्यकता होती थी, वे लुप्त होने लगे।

कुछ प्राणी बच गए

डायनासोर के विलुप्त हो जाने के कारणों को जानने के लिए यह भी आवश्यक है कि कौन से प्राणी बच गए और आखिर वे बच क्यों गए? जहाँ एक ओर डायनासोर विलुप्त हो गए, वहीं पक्षी बच गए। वे आज भी स्वच्छंद उड़ानें भर रहे हैं। स्तनपायी जीव बच गए। आज पृथ्वी पर उनका आधिपत्य है, जो कि कभी डायनासोर का था। छिपकलियाँ व अन्य समुद्री जीव बच गए। क्या यह उनका केवल भाग्य था या अन्य कारण भी थे!

इस संबंध में अनेक सिद्धांत उभरकर सामने आए है। इनमें से प्रमुख इस प्रकार हैं—

धीमी गति से विनाश

उस युग में मौसम में बदलाव प्रारंभ हो गया था। उससे पूर्व मौसम लगभग एक जैसा रहता था। इसका एक कारण यह भी था कि स्थल प्रदेश एक साथ जुड़े थे। बाद के काल में ये टूट-टूटकर अलग और फिर दूर होते गए।

समय के साथ मौसम का बदलाव तीक्ष्ण और फिर उग्र हो गया। एक मौसम, जैसे गरमी दूसरे जैसे सर्दी से बिलकुल अलग होने लगा। उस कारण जो प्राणी मौसम का बदलाव बिलकुल नहीं झेल पाते थे, वे नष्ट होने लगे। मौसम के बदलाव का वनस्पतियों व हरियाली पर भी प्रभाव पड़ने लगा और कुछ अवधि में हरियाली या तो कम हो जाती थी या बिलकुल नष्ट हो जाती थी। अनेक प्राणी जिनको भोजन की आवश्यकता अधिक थी, उनका शीघ्र ही समूल नाश हो गया। पर यह विनाश धीरे-धीरे ही हुआ।

अचानक विनाश

1980 में एक खगोलशास्त्री लुई अल्वारेज, जो एक पुराजीवविज्ञानी वाल्टर के पिता भी थे, ने एक नया तथ्य संसार के समक्ष रखा। उन्होंने प्रमाणों के आधार पर बतलाया कि क्रेटासियस काल के अंतिम दौर और टार्शियरी (तृतीयक) काल के प्रारंभिक दौर के बीच में एक अवधि ऐसी है, जिसके जीवाश्म बिलकुल नहीं मिलते हैं।

उसका संभावित कारण यह था कि एक बृहदाकार उल्का, जिसका आकार दस किलोमीटर से अधिक ही रहा होगा, पृथ्वी पर आकर गिरी होगी, जिससे भयंकर धूल और नमी से युक्त बादल उठे होंगे। यह घटना आज से लगभग 6.55 करोड़ वर्ष पहले घटी होगी।

उस उल्का के टुकड़े जब विभिन्न भागों में छितर-छितरकर गिरे होंगे तो उत्पन्न स्थिति की मात्र कल्पना ही की जा सकती है। इसका अधिकतम भयानक प्रभाव कई महीने तक या साल-दो साल तक अवश्य रहा होगा। इससे वनस्पतियों की फोटो संश्लेषण प्रक्रिया पूरी तरह बाधित हो गई होगी। तमाम प्राणियों के नष्ट होने का यह प्रमुख कारण हो सकता है तथा इससे अनेक वर्ग के प्राणियों का एक झटके में विनाश हो गया होगा। कुछ वैज्ञानिकों का मानना है कि इस घटना के कारण असाधारण ठंडक आई होगी, क्योंकि सूर्य की रोशनी बाधित हो गई होगी।

अनेक विद्वान् यह मानते हैं कि इससे असाधारण गरमी हुई होगी। वास्तव में पृथ्वी के वायुमंडल का घर्षण और उसके पश्चात् उल्कापिंड टकराने से ऊर्जा परिवर्तित हुई होगी। प्रभाव जो भी रहा हो, वनस्पतियों व प्राणियों के लिए यह विनाशकारी ही रहा होगा।

□

प्रमाणों की खोज

अंतरिक्ष से जब कोई खगोलीय पिंड, जैसे कोई उल्का या क्षुद्रग्रह जब पृथ्वी पर गिरता है तो उसकी एक स्पष्ट छाप पृथ्वी पर अंकित होती है और वह लंबी अवधि तक बनी रहती है। आज के युग में उसे पहचानना सरल है। इससे प्रकृति में कुछ पदार्थों, जैसे इरीडियम का प्रतिशत असाधारण रूप से बढ़ जाता है। उसकी पहचान करके यह जाना जा सकता है कि कितना बड़ा खगोलीय पिंड गिरा होगा और संभवत: कब गिरा होगा।

खोज में तेजी

उपरोक्त सुराग से खोज में तेजी आई और अनुसंधानकर्ताओं के दलों ने तेजी से खोज व पहचान प्रांरभ कर दी। खोज विश्वव्यापी थी, पर पहले-पहल अनुसंधानकर्ताओं की दृष्टि कैरेबियन द्वीपों के आस-पास के क्षेत्रों पर पड़ी, जहाँ पर न केवल उल्का के गिरने व उसके टूटने के प्रमाण मिले वरन् एक साथ गिरने से टूटनेवाली चट्टानें भी मिली। गिरी हुई उल्का के मलबे के प्रमाण भी मिले और इस कारण आस-पास की रासायनिक संरचना में जो परिवर्तन हुए, वे भी मिले। स्पष्ट रूप में जो परिवर्तन हुए, वे भी स्पष्ट रूप से पहचाने गए।

इसके पश्चात् 1991 में मैक्सिको के पास स्थित युकाटन प्रायद्वीप में एक ऐसा गड्ढा पहचाना गया, जो लगभग 6.5 करोड़ वर्ष पूर्व बना था। इसमें इतना पुराना मलबा पड़ा था। इसका आकार लगभग 200 कि.मी. का था।

आजकल प्राप्त चट्टानों की रासायनिक संरचना पहचानी जा सकती है और उसके आधार पर जब कंप्यूटर मॉडलिंग की गई तो साफ हुआ कि जो उल्का

गिरी थी, वह उथले समुद्र में गिरी थी व जिसके जल में पर्याप्त मात्रा में कार्बोनेट व सल्फेट उपलब्ध थे।

जब उल्का उथले समुद्र में गिरी तो सल्फर डायक्साइड व भाप के बादल तेजी से उठे और उत्तरी अमेरिका की ओर बढ़े। सबसे पहले इस क्षेत्र का विनाश हुआ और फिर धूल भरे बादलों ने आकाश को ढक लिया और एक प्रकार का ब्लैकआउट हो गया। चारों ओर अँधेरा छा गया। बहुत बाद में जाकर आसमान साफ हुआ और सूर्य की किरणें धरती की सतह तक पहुँचने लगीं, पर वनस्पतियों के लिए पनपने का कोई मार्ग नहीं था, क्योंकि आसमान में फैली सल्फर डायक्साइड सल्फयूरिक अम्ल बनकर बरसती रहीं, जो अधिक विनाशकारी थी। इसके अलावा सल्फ्यूरिक अम्ल युक्त एयरोसोल भी आसमान में वर्षों तक डटे रहे और अगले 5 से 10 वर्ष तक सूर्य की किरणें जमीन तक पूरी नहीं आ पाईं, इससे बर्फ जमने लगी।

उपरोक्त घटना की पुष्टि हेतु मैक्सिको स्थित यूकाटन प्रायद्वीप के पास खुदाई भी कराई गई है और साथ ही यह अनुमान भी लगाया गया है कि आखिर उल्का कहाँ से आई। इस संबंध में यह ज्ञात हुआ है कि बैप्टिस्टिना नामक एक क्षुद्र ग्रह, जिसका व्यास लगभग 160 कि.मी. था तथा जो मंगल व बृहस्पति के

बीच पृथ्वी की परिक्रमा करता था, एक अन्य अनाम क्षुद्र ग्रह से टकराया, जिसका व्यास 55 कि.मी. था। इस प्रक्रिया में बैप्टिस्टिना के टुकड़े हुए और उनमें से कुछ टुकड़े आज भी अपनी परिक्रमा एक गुच्छे के रूप में कर रहे हैं।

उपरोक्त टकराव आज से लगभग 16 करोड़ वर्ष पूर्व संपन्न हुआ था और इसमें बैप्टिस्टिना के कुछ टुकड़े पृथ्वी के आस-पास आ गए थे, जिसमें से एक का आकार 10 कि.मी. था, जो पृथ्वी के वायुमंडल में आ गया और मैक्सिको के पास आ गिरा।

अधिकतर वैज्ञानिक उपरोक्त अनुमान को मानते हैं, पर कुछ का यह भी मानना है कि एक धूमकेतु उसी अवधि में पृथ्वी से टकराया था, जिसके कारण यह महाविनाश हुआ था। इसके बाद पृथ्वी शीतयुग में चली गई थी।

भारी बाढ़ (डेक्कन ट्रैप)

अनेक वैज्ञानिकों का मानना है कि प्राणियों का महाविनाश किसी एक घटना मात्र के कारण नहीं हुआ था और इस क्रम में अनेक घटनाएँ घटी थीं, जिनमें से एक थी—भीषण बाढ़, जो डेक्कन ट्रैप के नाम से लोकप्रिय है।

यह बाढ़ आज से लगभग 6.8 करोड़ वर्ष पूर्व आई थी और लगभग 20 लाख वर्ष तक उसका पानी स्थलीय इलाकों में रहा था। इस बाढ़ के अनेक कारण हो सकते हैं। एक कारण वैसी ही वैश्विक तपन है, जिसका सामना आज विश्व कर रहा है।

उस समय भी कार्बन डायक्साइड की अधिकता रही होगी, जिससे ग्रीन हाउस प्रभावित हुआ होगा। यह माना जा रहा है कि उस काल में 80 डिग्री सेल्सियस तक तापमान में वृद्धि हुई थी।

बदलती परिस्थितियों से तालमेल न बनना

अनेक वैज्ञानिक यह मानते हैं कि डायनासोर सहित प्राणियों के संसार का एक बड़ा हिस्सा इसलिए लुप्त हो गया, क्योंकि उस समय प्रकृति में व्यापक परिवर्तन हो रहे थे। क्रेटासियस काल के मध्य में फूलों युक्त एंजियोस्पर्म पौधे बड़ी संख्या में धरती पर छाए हुए थे। कुछ डायनासोर एंजियोस्पर्म खाया करते थे, जबकि ज्यादातर शाकाहारी डायनासोर जिन्नोस्पर्म खाया करते थे। ये सभी नष्ट हो गए।

उपरोक्त प्रकार के परिर्वतनों के अनुरूप, जो डायनासोर अपने आपँको नहीं ढाल पाए, वे विलुप्त हो गए।

□

कुछ तो बचे

जब उपरोक्त महाविनाश के कारणों का पता चला तो वैज्ञानिकों ने विशेष रूप से डायनासोर या उन प्राणियों की तलाश प्रारंभ कर दी, जो उपरोक्त महाआपदा में बच गए थे। इस क्रम में एक 'हाइड्रोसोर' (डायनासोर की एक प्रजाति) की एक टाँग का जीवाश्म मिला। यह आज से 6.45 करोड़ वर्ष पुराना है। इसका अर्थ है कि उपरोक्त महाविनाश के बाद भी 5 लाख वर्ष तक डायनासोर (चंद ही सही) का अस्तित्व बचा रहा।

उपरोक्त के अतिरिक्त भी एक-दो जीवाश्म मिले हैं, जो महाविनाश के काल के 40000 वर्ष बाद के हैं। चीन में भी डायनासोर के ऐसे जीवाश्म मिले हैं, पर कुछ वैज्ञानिकों का यह मानना है कि महाविनाश के पश्चात् भी उथल-पुथल हुई होगी, जिसमें ये नए स्थान पर आ गए होंगे। ये बाद के डायनासोर लगते हैं।

पर इन अपवादों के बावजूद यह माना जा सकता है कि महाविनाश तो हो ही गया।

□

डायनासोर का सांस्कृतिक प्रभाव

हर प्राणी चाहे वह वर्तमान में उपलब्ध हो या अतीत में ही विलुप्त हो चुका हो, मानव संस्कृति पर अधिक प्रभाव डालता है। उपलब्ध प्राणियों की तुलना में विलुप्त प्राणी संस्कृति पर अधिक प्रभाव डालते हैं, क्योंकि उनके बारे में कल्पना की सीमाएँ अति विस्तृत हो जाती हैं।

भारतीय पौराणिक साहित्य में दानवों या असुरों का विस्तृत वर्णन है। ये दैत्याकार अर्थात् विशालकाय होते थे। आज भी विशाल जीव को दैत्याकार कहा जाता है। दानव या असुरों को मिलाकर 'दानवासुर' शब्द डायनासोर से न केवल मिलता है वरन् उनके गुण, जैसे आकार-प्रकार, खान-पान आदि भी मिलते-जुलते हैं। 'रामचरितमानस' में कुंभकरण के भोजन की मात्रा बतलाई गई है। कुछ इतनी ही मात्रा का भोजन डायनासोर के लिए भी आवश्यक होता होगा।

डायनासोर की एक प्रजाति इगुवांडन के यदि दाँतों का बारीकी से अध्ययन किया जाए तो पता चलता है कि यह एक शाकाहारी प्राणी था और उसके दाँत छेनी की भाँति थे तथा ये पौधों को काटने या चबाने में सक्षम थे। उसके पश्चात् वह उन्हें निगल जाता था।

इसी तरह अनेक डायनासोर मांसाहारी थे। उनके दाँत काटने व छीलने में उपयोगी थे। कुछ तो शिकार को पूरा ही निगल जाते थे। उनके उदर में जो कुछ भी जाता था, सब हजम हो जाता था। सचमुच उनका हाजमा जबरदस्त होता होगा।

दैत्याकार प्राणियों के लिए मांसाहार स्वाभाविक माना जाता है। इसका कारण है कि वनस्पतियों में कम पोषक तत्त्व होते हैं और ज्यादातर सेलुलोज

होता है, जो बड़ी कठिनाई से पचता है। यह शरीर के पिछले भाग में जाकर जमा होता रहता है और फिर बहुत देर में हजम हो पाता है। यही कारण है कि पौराणिक साहित्य में सभी दैत्यों को मांसाहारी दिखलाया गया है।

पश्चिम में भी एक अवधि तक काल्पनिक माने जानेवाले डायनासोर की सच्चाई जब लोगों के सामने आई तो ये साहित्य व कला के लिए प्रिय विषय बन गए। हर वह चीज, जो आकार में असाधारण रूप से या अव्यावहारिक रूप से बड़ी हो, बहुत धीमी गति से चलती हो, पुरानी पड़ चुकी हो या जिसका नष्ट होना अवश्यंभावी हो, 'डायनासोर' कहलाने लगी।

डायनासोरों की खोज व उनके विभिन्न पहलुओं के बारे में जानने के लिए

वैज्ञानिकों ने असाधारण दिलचस्पी दिखाई। इस दौरान वैज्ञानिकों के बीच उत्पन्न होड़ भी दिलचस्प हो गई, जिससे ये लुप्त प्राणी और अधिक दिलचस्प हो गए।

पहले-पहल सार्वजनिक दिलचस्पी तब उत्पन्न हुई, जब 1854 में डायनासोर की मूर्तियाँ लंदन के क्रिस्टल पैलेस पार्क में लगाई गईं तथा उनका भव्य अनावरण किया गया। इन मूर्तियों ने लोगों में डायनासोर के बारे में जानने की उत्कंठा इस कदर बढ़ा दी कि इन मूर्तियों की छोटी-छोटी अनुकृतियाँ जगह-जगह पर लगाई गईं तथा मूर्तिकारों को अच्छा-खासा कारोबार मिल गया।

जल्दी ही लुप्त हो चुके डायनासोर विश्व भर में पार्कों संग्रहालयों में भव्य स्थान पाने लगे। डायनासोर के बारे में जिज्ञासा, उनसे संबंधित अध्ययन विज्ञान का एक उपविषय बन गया और इसके लिए सरकार व निजी क्षेत्र दोनों उदारता से अनुदान देने लगे। इससे खोज का सिलसिला जोर पकड़ता चला गया। विभिन्न संग्रहालयों के बीच होड़ मची और वे नए-नए पहलुओं को रोचक तरीके से दिखलाने लगे। 1980 व 1990 के दशकों में इस संबंध में दिलचस्पी

अपने चरम पर पहुँच गई। इसी दौरान इस दिशा में उत्कृष्ट कार्य भी बड़े पैमाने पर संपन्न हुआ।

साहित्य, फिल्म व मीडिया

डायनासोर केवल पार्कों व संग्रहालयों तक ही सीमित नहीं रहे। उन्होंने चार्ल्स डिकेंस जैसे चोटी के साहित्यकार का भी ध्यान अपनी ओर आकृष्ट किया। उनकी रचना 'ब्लीक हाउस' में डायनासोर भी थे। सर आर्थर कोनान डोयल द्वारा 1912 में रची पुस्तक 'दि लॉस्ट वर्ल्ड' में भी वे छाए रहे। 1933 में

बनी फिल्म 'किंग कांग' 1954 में बनी 'गॉडजिला' में डायनासोर एक प्रमुख पात्र थे।

1990 में जब माइकेल क्रिक्टन ने 'जुरासिक पार्क' नामक उपन्यास रचा और जब 1993 में उस पर फिल्म बनी तो डायनासोर का नाम संसार भर के बच्चों की जुबान पर आ गया।

कथा साहित्य के अतिरिक्त सामान्य साहित्य में भी डायनासोर छाए रहे। जीवों से संबंधित रचनाओं में डायनासोर का उल्लेख अनिवार्य हो गया। रोचक होने के कारण डायनासोर का उदाहरण पाठकों के गले उतर जाता है।

आज की बाजार उन्मुख दुनिया में डायनासोर बाजारों में भी छाए हुए हैं। अनेक कंपनियाँ अपने-अपने उत्पाद के प्रचार में या विपक्षी कंपनी के उत्पाद के खिलाफ दुष्प्रचार में डायनासोरों का प्रयोग करती हैं। अखबार, पत्र-पत्रिकाओं, रेडियो, टेलीविजन के विज्ञापनों में धीमी गति से कार्य करना, कभी का पुराना पड़ जाना; इनको दरशाने के लिए डायनासोर का उपयोग होता है।

□

डायनासोर व धार्मिक मान्यताएँ

हालाँकि डायनासोर शब्द का पहले-पहल प्रयोग रिचर्ड ओवेन ने 1842 में किया था, पर ज्यों ही डायनासोर शब्द लोकप्रिय हुआ और लोगों ने डायनासोर के बारे में जानकर सोचना-समझना प्रारंभ किया, त्यों ही अनेक लोगों ने धार्मिक ग्रंथ; विशेष रूप से बाइबिल के उल्लेखों से डायनासोर की तुलना प्रारंभ कर दी।

वास्तव में 'डायनासोर' शब्द यूनानी (ग्रीक) शब्दों के मेल से बना है। अत: बाइबिल में तो इस प्रकार के शब्द का दूर-दूर तक उल्लेख नहीं है। हिब्रू में एक शब्द 'टैनिन' का उपयोग बाइबिल में हुआ है, जिसको अँगरेजी अनुवादकों ने समुद्री दानव माना है। इसे साँप जैसा भी माना गया है। आमतौर पर लोग इसकी तुलना ड्रैगन से करते हैं, जो कि चीन में अधिक लोकप्रिय था और अभी भी है।

यहूदी लोगों के धर्मग्रंथ पुरानी बाइबिल (ओल्ट टेस्टामेंट) में इस प्रकार के दानवाकार प्राणी का 32 बार उल्लेख है। यह जल में भी वास करता था और स्थल में भी। लोगों ने इसे भी डायनासोर या उसके समतुल्य मान लिया।

इसी प्रकार बाइबिल में बेहेमोथ नामक विशालकाय प्राणी का उल्लेख है। इसकी पूँछ एक विशाल पेड़ की भाँति होती है और इसे पकड़ना असंभव था। यह भी लिखा गया कि ईश्वर ने सर्वप्रथम इसी प्राणी की रचना की थी। उस समय तक अनेक धर्माचार्य यह मानते थे कि यह प्राणी हाथी, हिप्पोपोटामस या साँड़ होगा। पर इन सभी की पूँछ तो पतली होती है।

अब लोगों ने बेहेमोथ को डायनासोर की एक प्रजाति मान लिया; क्योंकि

बाइबिल में यह भी लिखा गया है कि यह ईश्वर की विशालतम रचना है। हालाँकि अनेक विद्वान् इस संबंध में अलग-अलग विचार देते रहे। कुछ कहते रहे कि पूँछ नहीं, इस प्राणी का लिंग पेड़ के तने जैसा रहा होगा।

ज्यादातर धर्माचार्यों का यह मानना था कि डायनासोर सहित सभी लुप्त प्राणी वास्तव में नूह की बाढ़ में बह गए होंगे। चूँकि बाढ़ के पश्चात् पृथ्वी का वातावरण बिलकुल अलग था, इसलिए डायनासोर के लिए उसमें अपना अस्तित्व बचाना असंभव था।

अधिकांश विद्वानों का यह मानना है कि नूह की बाढ़ से पूर्व मानव और डायनासोर साथ-साथ ही रहते थे। ऐसा एक संग्रहालय में दरशाया भी गया है। इस बात को असंभव बतानेवालों की भी कमी नहीं है।

अनेक लोग यह भी मानते हैं कि डायनासोर अभी भी हैं। यह माना जाता है कि वे झीलों या पानी में वास करते हैं और अनेक लोगों ने उन्हें देखने का दावा भी किया हैं। कुछ लोग यह भी मानते हैं कि ये प्राणी कुछ दिनों पूर्व तक ऑस्ट्रेलिया में पाए जाते थे।

इस प्रकार यह कहा जा सकता है कि जब भी कोई नया तथ्य सामने आता है तो लोग उसका मिलान सबसे पहले अपने धर्मग्रंथों से करते हैं। कई बार ऐसा भी लगता है कि जबरदस्ती मिलान कराने का प्रयास किया जा रहा है। डायनासोर का मामला इसका अच्छा उदाहरण है।

इन सबसे बहस के लिए अच्छे विषय मिल जाते हैं। जो भी हो, पश्चिमी धर्मों की अनेक मौलिक मान्यताएँ समाप्त हो चुकी हैं। उदाहरण के लिए, ईसाई धर्मावलंबी मानते हैं कि ईश्वर ने पहले दिन पृथ्वी, स्वर्ग तथा प्रकाश की रचना की।

तीसरे दिन ईश्वर ने पौधों में जीवन का संचार किया।

चौथे दिन सूर्य व चंद्रमा की रचना की।

अब प्रश्न यह उठता है कि यदि सूर्य की रचना बाद में हुई तो पौधों में पहले जीवन कहाँ से आ गया?

फिर भी पश्चिम में भी जहाँ वैज्ञानिक तथ्यों व विचारों की उत्पत्ति व प्रचार तेजी से होता है, अधिकतर लोग अब भी ईश्वर और धर्मग्रंथों पर पूरा विश्वास करते हैं।

☐

भावी अनुसंधान योजना

मौलिक विषयों पर अनुसंधान बहुपयोगी होता है। यह भावी अनुसंधान हेतु अनेक द्वार खोलता है तथा अनेक दिशाएँ दरशाता है।

डायनासोर पर अब तक हुए अनुसंधान ने भावी अनुसंधान हेतु मार्ग प्रशस्त किया है। एक ओर पृथ्वी के इतिहास के बारे में अधिकाधिक रूप से जानने की इच्छा बलवती हो रही है और इस कार्य के लिए अनेक विशेषज्ञतावाले वैज्ञानिकों के दल तैयार किए जा रहे हैं।

मनुष्य के पास अभी तक मात्र दस हजार वर्ष का ही पुष्ट इतिहास है। इससे पूर्व के बारे में जो जानकारियाँ हैं, उनको पूरी तरह पुष्ट करना अभी बाकी है। इतिहास के गर्भ मे जो प्राणी अभी दबे पड़े हैं, उनमें डायनासोर के अलावा

अन्य प्राणी भी हो सकते हैं। आखिर वे किस कारण विलुप्त हो गए हैं, इस बारे में खोज बाकी है।

आज भी पृथ्वी पर स्थित जीवन अनेक चुनौतियों का सामना कर रहा है। तमाम प्रयासों के बावजूद मानव किसी अन्य ग्रह या खगोलीय पिंड पर जीवन के संकेत को लेशमात्र भी तलाश नहीं कर पाया है। दूसरी ओर, पृथ्वी पर भी अनेक ऐसे कारण बन रहे हैं, जिनसे जीवन के समूल नष्ट होने की संभावना बलवती हो रही है।

आज आबादी बेतहाशा बढ़ रही है। राजनैतिक कारणों से या चंद धार्मिक मान्यताओं के कारण आबादी सीमित करने के प्रयास असफल हो रहे हैं। आबादी बढ़ भी रही है और अनेक स्थानों पर विशेष रूप से महानगरों में आबादी का घनत्व बहुत बढ़ रहा है; जिससे जातीयता, क्षेत्रीयता, सांप्रदायिकता, भाषावाद जैसी समस्याएँ उत्पन्न हो रही हैं।

आज 6 करोड़ वर्ष पश्चात् भी डायनासोर के इतने जीवाश्म मिल चुके हैं कि निश्चित तौर पर कहा जा सकता है कि उस समय उनकी आबादी बहुत बढ़ गई होगी। अनेक स्थानों पर झुंड के झुंड जीवाश्म मिले हैं। अनेक जीवाश्म इस मुद्रा में मिले हैं कि लगता है, वे आपस में बुरी तरह लड़ रहे थे और एक-दूसरे को मारते हुए मर गए।

क्या वे उस समय उपलब्ध संसाधनों के लिए लड़ रहे थे? यदि हमारी आबादी और आबादी का घनत्व इसी गति से बढ़ता रहा तो क्या कल हम भी उसी तरह लड़ते हुए मर जाएँगे।

हम प्रकृति का बेतहाशा दोहन करते हुए प्राकृतिक असंतुलन उत्पन्न कर रहे हैं। हजारों-लाखों टन प्लास्टिक हमारे खेतों, बगीचों, वनों तक में पहुँच रहा है। एक स्थिति ऐसी आएगी, जब पृथ्वी की परत खोदने पर पॉलीथीन की थैलियाँ ही मिलेंगी और हरियाली या कृषि पैदावार का नामोनिशान भी नहीं बच पाएगा।

इसी तरह द्वितीय विश्वयुद्ध को जल्दी रोकने के लिए परमाणु बम का पहले निर्माण किया गया था और फिर उसका हिरोशिमा व नागासाकी में उपयोग किया गया था।

उसके पश्चात् अनेक देशों ने परमाणु शक्ति का विकास इसलिए किया कि वे अपने-अपने क्षेत्र में शक्ति संतुलन बनाए रख सकें। पाकिस्तान इसका प्रमुख उदाहरण है। अमेरिका व चीन ने अपने हितों के लिए और कुछ भारत को दबाने के लिए पाकिस्तानी परमाणु बम का आधार सशक्त किया। आज आतंकियों के सिरफिरे संगठन भी इन परमाणु केंद्रों पर कब्जा करने की फिराक में हैं। कहीं वे सफल हो गए तो?

आनेवाली पीढ़ियाँ डायनासोर की ही भाँति हमारी भी तलाश करेंगी।